序

　　現今企業資訊環境複雜，企業大都仰賴資訊系統進行營運活動，相關的交易憑證也變成電子化，因而傳統的人工查核方式已無法協助稽核人員評估內部控制的有效性，稽核人員需要使用透過電腦審計方式進行查核。

　　稽核人員並非資訊人員有時間與能力可以去學習很多新的資訊科技工具，因而國際電腦稽核教育協會(ICAEA)就強調:「稽核人員應是熟練一套 CAATs 工具與學習查核方法，來面對新的電子化營運環境的內稽內控挑戰，才是正道」。

　　本書是給有志從事稽核工作的人員，在新時代可以有效的使用新的工具 (Modern Tools for Modern Time)，快速有效完成稽核作業，創造稽核價值。SAP 稽核已成為全球最熱門的稽核職能需求之一，許多的國際化企業的稽核部門所刊登的工作需求，都登錄有需要懂 ACL 電腦稽核軟體與 SAP ERP 的專業人士，因此其已成為全球化環境下稽核人員邁向未來的新興顯學。

　　ACL 是國際上使用最廣的 CAATs 工具，因此本書以其為例，透過實例資料的演練，讓稽核人員可以熟悉如何透過 ACL 來進行「ERP 權限管理查核」。

　　大家一起來學習成為一個快樂與創造價值的新世代稽核人員吧！

JACKSOFT 傑克商業自動化股份有限公司

黃秀鳳總經理

2020/03/24

電腦稽核專業人員十誡

　　ICAEA 所訂的電腦稽核專業人員的倫理規範與實務守則，以實務應用與簡易了解為準則，一般又稱為『電腦稽核專業人員十誡』。 其十項實務原則說明如下：

1. 願意承擔自己的電腦稽核工作的全部責任。

2. 對專業工作上所獲得的任何機密資訊應要確保其隱私與保密。

3. 對進行中或未來即將進行的電腦稽核工作應要確保自己具備有足夠的專業資格。

4. 對進行中或未來即將進行的電腦稽核工作應要確保自己使用專業適當的方法在進行。

5. 對所開發完成或修改的電腦稽核程式應要盡可能的符合最高的專業開發標準。

6. 應要確保自己專業判斷的完整性和獨立性。

7. 禁止進行或協助任何貪腐、賄賂或其他不正當財務欺騙性行為。

8. 應積極參與終身學習來發展自己的電腦稽核專業能力。

9. 應協助相關稽核小組成員的電腦稽核專業發展，以使整個團隊可以產生更佳的稽核效果與效率。

10. 應對社會大眾宣揚電腦稽核專業的價值與對公眾的利益。

目錄

Technology for Business Assurance

ACL實務個案演練

資通安全查核
-SAP ERP權限管理查核實例演練

傑克商業自動化股份有限公司

國際電腦稽核教育協會
認證課程

利用ACL進行資通安全作業查核

- **系統管理**
  - 系統使用權限查核
  - 系統事件查核
  - 個人電腦查核
    （更新、密碼、分享、備份等）

- **資料庫管理**
  - 存取授權與權限表查核
  - 備份控制查核
  - 資料實際存放安全性

- **網路、網際網路、電子商務**
  - **網路安全查核（防火牆、各種封包查核、異常連線IP）**
  - 員工使用網路情況
  - 網路交易查核

- **ERP系統**
  - → 權限控管查核
  - → 流程控管查核
  - → 備份查核
  - → 績效查核
  - → 資料庫查核

查核實務探討:
ERP權限管理方式與使用者角色衝突查核

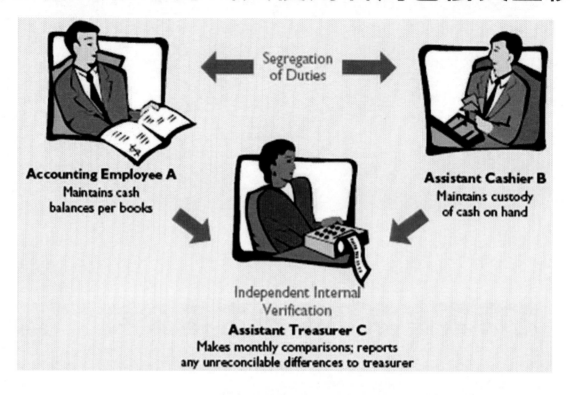

Segregation of Duties

Accounting Employee A
Maintains cash balances per books

Assistant Cashier B
Maintains custody of cash on hand

Independent Internal Verification

Assistant Treasurer C
Makes monthly comparisons; reports any unreconcilable differences to treasurer

3

Strategic Management 電腦稽核 |
黃士銘，國立中正大學管理學院
朱素蕙，國立中正大學會計與資訊科技研究所
喬亭慧，傑克商業自動化股份有限公司

利用電腦稽核技術建立企業E化系統的第一道防火牆

稽核人員面對公司E化系統的內部控制，首要的第一步為確保其系統權限管理的允當性。E化系統權限管理的失當容易製造舞弊的機會，使公司發生無謂的損失與曝露在無謂的風險。善用電腦稽核軟體之輔助，稽核人員能夠維持續性稽核與監控公司E化系統權限管理，確保公司內部控制之健全。

根據美國舞弊稽核師協會（ACFE）於2010年所出具的年度全球舞弊報告指出，2010年全球舞弊的金額明顯大於2008年，顯示全球即使在沙氏法的推動之下，舞弊事件與嚴重性仍是日漸增高。在同一份報告也指出，唯有建立完善的內部控制，才能夠嚇阻舞弊的發生。然而，很不幸地，在這些舞弊公司中，最缺乏的也是內部控制的建立，有37.8%公司因為內部控制建立不足，而產生嚴重的舞弊事件。當舞弊發生之後有80.6%的公司會進行內部控制之補強，其中，建立適當的權限管理為眾多補強控制之首要任務（61.2%），顯示在權限管理不當的公司，容易造成舞弊事件之誘因。

吞款項之後使用會計權限進行掩飾舞弊行為。該公司聘請外界顧問對公司ERP系統進行總體檢，發現ERP系統內擁有會計模組應用程式相關使用權限的授權數（即設定可使用的功能數，如新增、修改刪除等）高達近3,500個，使用者高達近500人，但其中實際需要會計角色的使用者約為20人，需要會計模組相關權限得授權數約為400個，如此數據可以看到該公司的ERP系統權限管理不當的問題嚴重性，ERP系統門戶大開，給予有心機的資訊系統使用者無限的舞弊空間可能。

因此，對於從事財會稽核工作的人員，需要瞭解傳統管理環境轉為E化環境作業後，在權限的管理上會有哪些變化，如此才能有效強

圖二：角色權限衝突規則一之查核程式

```
Comment
    本程式為規則一的示範程式
    本程式使用到的表單說明：
    RES_AU=使用者授權權限表
    RES_RECORD=使用者紀錄權限表
    本程式使用到的指令說明
    JOIN：勾稽資料
    EXTRACT：隔離異常資料
END

    Open RES_AU
    Open RES_RECORD SECONDARY

Comment 進行授權與覆核之權限衝突判斷
    JOIN PKEY RESPONSIBILITY _ID OBJECTIVE FIELDS USER_
    ID FUNCTION_ID RESPONSIBILITY_KEY RESPONSIBILITY_ID
    FUNCTION_NAME CATEGORY SKEY USER_ID WITH USER_
    ID FUNCTION_ID RESPONSIBILITY_KEY RESPONSIBILITY_ID
    FUNCTION_NAME CATEGORY TO "AUDIT_AU _RESULT" OPEN
    APPEND PRESORT MANY SECSORT

Comment 隔離異常資料
    OPEN AUDIT_AU _RESULT
    EXTRACT FIELDS RESPONSIBILITY_KE2 AS '不能同時擁有的權
    限一' RESPONSIBILITY_KEY AS '不能同時擁有的權限二' TO "
    AUDIT_AU _SHOW_RESULT "
```

4

網路銀行內控失當 擅轉客戶資金 ○○ 銀被重罰6百萬

中國時報/政治綜合/A14版 陳○○/台北報導
2007/3/30

幾個年前爆發的○○銀行網路交易軟件弊端案件，金管會委員會昨日做出懲處，金管會認為網路銀行內控不當，責令及銀行轉出客戶頭資金，內控不當，因此罰款六百萬。

另外，○○九如興商株

掛錯外匯匯率 賴皮不

今年一月初，○○銀行
五頭掛為一：廿七，○
出客戶戶頭裡的錢。

○○雖以網路銀行的交
易，有法律效益。即使
機制，因此處罰六百萬

客戶資料外洩 董事長

金管會發言人張○○表

金管會調查此案件期間
行員去當男女的信用資
銀行董事長李○○個人

運彩內控失靈 難擋隻手遮天

2011-09-19 中國時報 【蕭承訓、蕭博文】

檢警偵辦○○金控旗下運彩子公司員工監守自盜案，發現運彩科技內部有套運作的流程，包括檢核、驗證都有一定規定，每日都還必須列出表單送審查。但離職襄理林○○任內仍能隻手遮天，顯示內部控管機制失靈，已要求提供內部流程和相關報表過濾。

檢警認為，林○○相當熟悉內部作業，也擔心一旦作案時間拖長，恐會東窗事發，所以設定每次重新開機犯案的時間為兩分鐘，並利用這空檔在辦公室內指揮外共犯前往下注，時間相當緊迫。

只是令檢警懷疑的是
膽地重新啟動，且在極
常資料，難道無法被檢核

此外，檢警初查，林

在辦公室的機會。這四分
後調查。

〈短訊〉○○員工挪公款 5年間侵占7千萬

台北 報導

晚間最新消息！以生產熱水器跟廚具聞名的○○公司爆發員工挪用公款，金額高達7千萬元的監守自盜案。

週五台灣○○公司內部會計單位進行帳務查核作業時，發現財務部出納楊○○，涉嫌利用公司資訊控管漏洞，從2003年開始，陸續以小額方式，日積月累，以數十到數百萬的金額，挪用侵占公司資金。

○○公司進行處理立即開除並且提起告訴，相關訊息也在公開資訊觀測站發布，初步估計，被侵占的金額，可能高達台幣7千萬。

5

狂！美女會計就是要愛馬仕 盜2.3億元掃800名牌包

2019/01/19 17:   記者陳○靜/台中報導【 1/19 8:10 發稿 | 17:34 更新：新增影音】

全球最大自行車製造經銷商 ○○ 集團在台分公司「亞○國際」，3年前驚爆美女會計劉○婷監守自盜4年，涉嫌盜用公款2.3億元，檢調調查發現，劉女把錢全敗在愛馬仕名牌包、卡地亞手錶等精品上，總數達800件以上；台中地院調查發現，劉女將部分贓款轉匯至丈夫、小姑帳戶，作為2人繳房貸及購屋款，18日將劉女依業務侵占罪判處4年8月徒刑，並須賠償公司1億7724萬餘元，而劉女的丈夫及小姑也須連帶賠償部分款項。

總數達800件以上，她還因而成為多家精品超級VIP，劉女主動投案後，已將名牌包、項鍊等奢侈品交給公司處分，公司光是變賣取回贓款，就高達4717萬餘元。

檢警調查，劉女於2008年11月入職 ○○ 集團台灣分公司亞○公司，從2009年2月開始，就私自將公司銀行帳戶內的款項陸續轉到自己的戶頭，得手2億3535萬餘元公款；並查出劉女在2013年至2015年間，將贓款分25次匯入廖姓丈夫的戶頭，共匯款275萬餘元，用來支付其名下房貸及信用卡消費等，另有63次匯款至小姑戶頭，共計匯款1千270萬餘元，用以支付其購屋款。

刑事部份，檢察官認為廖男、廖女涉案證據不足，僅將劉女依業務侵占罪起訴，台中地院日前並將劉女依業務侵占罪判處4年8月徒刑，全案仍可上訴；而荷蘭商 ○○ 集團台灣分公司亞○公司另提民事求償，對劉女及廖姓丈夫、廖姓小姑提出連帶求償1億8236萬餘元；廖男、廖女到案後，皆辯稱不知劉女犯行，廖男表示甚至曾因妻子買那麼多名貴包包而發生爭執，但法官認為2人應知悉劉女的工作薪資，顯然與劉女所提供的財力資力並不符合，2人也不可能對自己戶頭來路不明的鉅額款項毫不知情，因此認定2人應與劉女連帶負擔侵權責任，經扣除變賣名牌包等價金，判劉女應賠償1億7724萬餘元，而廖男連帶賠償175萬餘元、廖女則連帶賠償1270萬餘元。

據《○○日報》報導，其中一名網路賣家透露，劉女因為無法從門市賣到超級VIP才能買到的夢幻柏金包，只能透過網路賣家買到，光2015年下半年，劉女狂掃愛馬仕要價170萬到200萬的鱷魚皮柏金包，就至少買了6個，至於其他包一款，只要是賣家標榜「限量、稀有、明星款」，劉女下訂毫不手軟，就連近兩百萬限量鑽表、全鑽手環都來者不拒。

6

電影公司女會計4年盜公款1.1億

三立新聞網　2019/12/17

記者楊○琪 / 台北報導

曾拍攝製作「血○○」的電影公司「真好○○」，損失巨大，女會計 4 年盜領公款1.1億元。陳女知道被公司發現不對勁，趕緊先自首，日前遭台北地檢署檢察官依業務侵占罪將陳女起訴。

© 由 Sanlih E-television Co., LTD 提供

▲○○電影公司的女會計，竟在4年內，盜領公款高達1.1億。（圖／資料畫面）

○○公司負責人為香港製片陳○○，因人都在香港，因此不僅○○，名下「台北真好電影公司」、發行工作室的財務全委由陳女處理，包括廠商款項、出納等，皆由陳女經手。

檢方追查，陳女自2015年12月起，將電影製片廠匯交公司的款項，私自以網路銀行轉帳等方式提領挪用，再向公司內部謊稱廠商交易款尚未匯入，如此「○○搬磚」，每月盜領上百萬元，4年來累計盜用高達1.1億元。

直到年初，公司與廠商聯繫才發覺有異，陳女知道被懷疑，才在律師陪同下，在老闆陳○○還沒提告前，趕緊向檢方自首。根據陳女的說法，因為替前公司作保，欠下大筆債務才會鋌而走險，大部分的錢都拿去還債，剩下少部分用作生活花費。

檢方認為，陳女知道公司的財務報表都是由她製作，因此利用職務之便侵吞公款，以為都不會被發現。陳女坦承犯案，檢方依業務侵占罪將她起訴。

7

財務主管詐領3000萬「抖內」女直播主 判刑6年多

2020-03-16 19:51:11

〔記者張○○／台北報導〕台灣○○公司前管理部長翁○○，利用保管公司印章之便，在4年2個月期間以螞蟻搬象的方式，陸續侵吞公司款51次、共3263萬元，公司經銀行警示才發現而報案，翁男認罪並聲稱錢都用於「斗內」（Donate，贊助）網路直播平台的女直播主，爽當直播主的「乾爹」；高等法院日前依偽造有價證券、詐欺等罪將他判刑5年，另有1年11月可易科罰金69萬元。可上訴。

由於翁男只返還公司112萬元，其餘已花用一空，高院一併宣告沒收餘款3150萬餘元。

已婚40餘歲的翁男，平時藉保管公司大章、負責人小章的職務之便，每次趁領用公款時，就多領一些，以中飽私囊，食髓知味後，後期變本加厲，未經公司核可就直接以公司的名義開支票、填提款單，或指定銀行將公司款匯到他戶頭，初期盜領10幾、20萬元，末期甚至單筆就高達2、300萬，錢都直入他帳戶。

判決指出，從2013年9月25日到2017年11月30日，翁男共盜領詐得51次盜領，金額高達3263萬。常與○○往來的銀行查覺，該公司的支票及提領出現異常，且還常指定匯入翁男的私人帳戶，通知○○留意，○○清查金流才驚覺遭翁男隻手遮天、瞞天過海4年多。

翁男承認做假帳、盜領公司款，並聲稱錢都花在贊助直播主上，覺得直播主生活很辛苦，才經常「斗內」她們，他從未與任何直播主約會或碰面，對方也不知道他的真實身分。

一審台北地院依偽造有價證券、違反商會法、偽造文書、詐欺取財等罪，將翁男依51罪判刑5年，外加2年的可易科罰金之刑；二審高院日前認定51罪數不變，只將其中一罪從3月改判2月，仍判應關5年，另有1年11月可易科罰金，沒收犯罪所得3150萬餘元，全案仍可上訴。

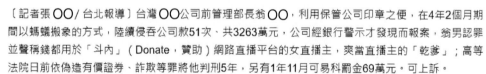

台灣○○公司前管理部長翁○○，利用保管公司印章之便，在4年2個月期間以螞蟻搬象的方式，陸續侵吞公司款51次、共3263萬元。（路透）

8

AI智慧化稽核流程

萃取前後資料

目標 >準則 >風險
>頻率 >資料需求

彈性 規劃　　　智能 判讀

警示利害關係人

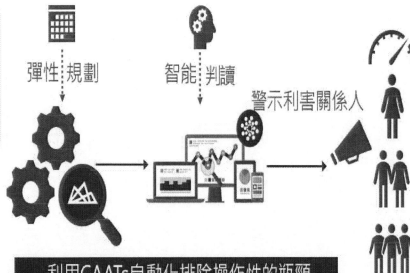

連接不同
資料來源

利用CAATs自動化排除操作性的瓶頸
利用機器學習 智能判斷預測風險

缺失偵測　　　　威脅偵查

9

AI 人工智慧稽核新時代

現狀：以人為中心的手工流程

未來狀態：人類和機器人綜合過程

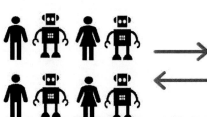

10

ACL 30年的成長與發展

ACL and Rsam are now Galvanize

Two great companies have become one, and are now redefining the GRC industry through technology.

2017年ACL獲得在美國矽谷的Norwest的5千萬美元的策略性投資後，公司規模與產品線持續擴大，並積極朝向「世界第一對客戶提供全方位的GRC (治理、風險管理與法遵)和稽核專業解決方案」的企業目標前進。

2019年ACL併購在美國紐約的資訊安全治理知名公司Rsam，進一步的深化GRC市場產品規模，並且將公司改名為Galvanize，取其驚奇的正向力量整合之意。

11

ACL Robotics 稽核機器人

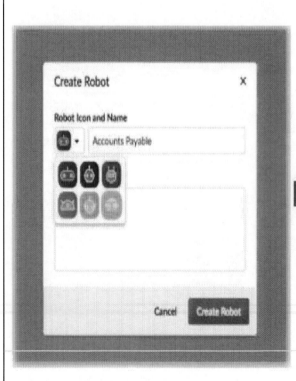

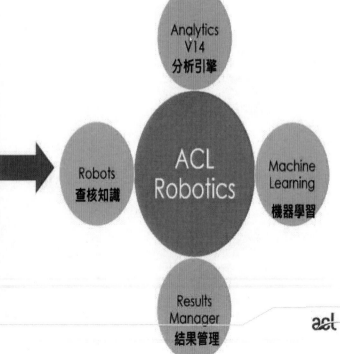

12

稽核人員的使用工具的變革

1980 前　　　算盤
1980~1990　　計算機
1990~2000　　試算表(Excel)或會計資訊系統
2000~2005　　管理資訊系統(MIS)與企業資源規劃(ERP)系統
2005~2010　　電腦稽核系統（CAATs）
2010~2015　　持續性稽核系統、內控自評系統與年度稽核計畫系統
2015~2018　　雲端審計與風險與法遵管理系統(GRC)
2018~　　　　AI人工智慧、雲端大數據與法遵科技

13

電腦輔助稽核技術(CAATs)

– 財會稽核人員角度所設計的通用稽核軟體，有別於以資訊或統計背景所開發的軟體，以資料為基礎的Critical Thinking(批判式思考)，強調分析方法論而非僅工具使用技巧。

– 適用不同來源與各種資料格式之檔案匯入或系統資料庫連結，其特色是強調有科學依據的抽樣、資料勾稽與比對、檔案合併、日期計算、資料轉換與分析，快速協助找出異常。

– 最大的特色是個人電腦即可操作，可進行巨量資料分析與測試，簡易又低成本。

表:IIA與AuditNet組織的年度稽核軟體使用調查結果彙整

舞弊偵測稽核軟體調查報告					
稽核軟體名稱	使用度(近似值)				
	2004年	2005年	2006年	2009年	2011年
ACL	50%	44%	35%	53%	57.6%
EXCEL	20%	21%	34%	5%	4.1%
IDEA	4%	8%	5%	5%	24.1%
其他	26%	27%	26%	37%	14.1%

14

Who Use CAATs進行資料分析?

- 內外部稽核人員、財務管理者、舞弊檢查者/
  鑑識會計師、法令遵循主管、控制專家、高階
  管理階層..
- 從傳統之稽核延伸到財務、業務、企劃等營運
  管理
- 增加在交易層次控管測試的頻率

電信業	流通百貨業	製造業
金融業	醫療業	服務業

15

權限分類基本理論

表二：權限分類表

分類	定義	舉例
授權	批准營運事項。	如會計傳票的核准。
保管	能夠使用或控制任一實體資產,如現金、設備、存貨等。	如出納人員保管現金。
記錄	建立且維護任一有關收入、支出、存貨等紀錄。	如會計人員建立傳票。
覆核	核對營運事項的處理及記錄,以確保所有的營運事項是有效且和有合適的授權及記錄。	如銀行往來調節表的確認。

16

權限衝突基本規則

表三：六種權限衝突之查核規則

規則1：員工同時擁有授權交易事項之進行以及紀錄該交易事項的權限

規則2：員工同時擁有授權交易事項之進行以及保管該交易事項之資產的權限

規則3：員工同時擁有授權交易事項之進行以及覆核該交易事項的權限

規則4：員工同時擁有保管交易事項之資產以及紀錄該交易事項的權限

規則5：員工同時擁有紀錄交易事項以及覆核該交易事項進行的權限

規則6：員工同時擁有保管交易事項之資產以及覆核該交易事項的權限

17

ERP系統的權限管理方式

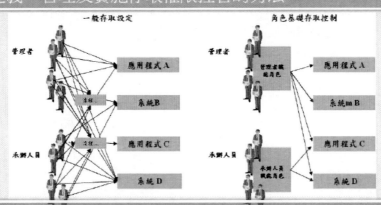

系統導入後之安全考量 – 系統存取安全

在ERP系統中是以角色基礎（Role-Based）做為存取安全之控制模式，角色基礎權限存取控制是一套根據不同使用者所擔負工作內容，訂出相似共通的功能，以藉此定義、管理及實施存取權限控管的方法。

換言之，當角色設計不適當時，就可能導致使用者擁有過大的權限，包括可執行不適當的程式、可對不適當的組織進行資料操作、執行不適當的程式功能。

資料來源：Deloitte (2009)　18

ERP系統的權限管理方式

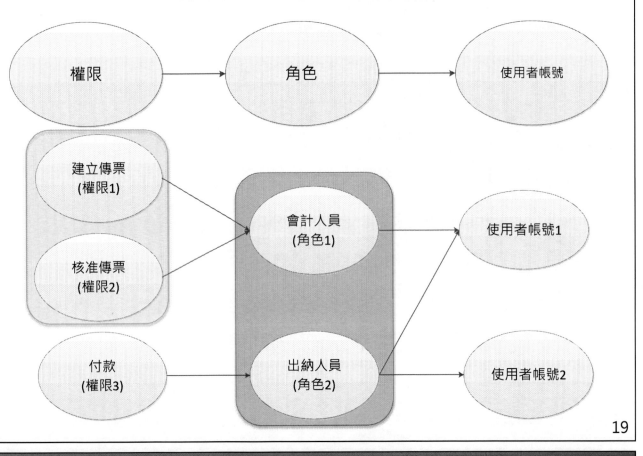

19

如何利用ACL進行ERP權限管理查核:

- ## 查核角色內的權限衝突

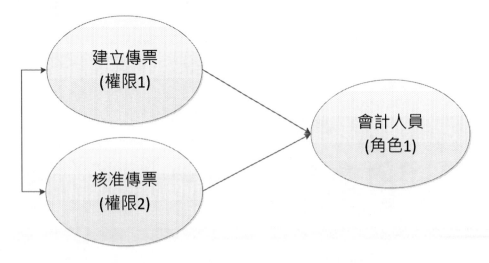

20

利用ACL進行ERP權限查核:

- 查核使用者帳號的權限衝突

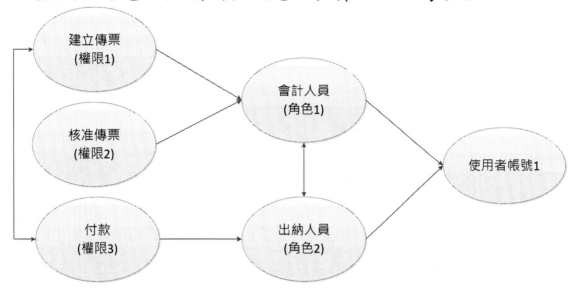

21

使用ACL進行ERP權限管理稽核 —以SAP系統為例

- ## SAP用戶數費用昂貴：
一般用戶6000-7000歐元(23萬~27萬)，開發用戶12000歐元(約47萬台幣)。

- ## SAP帳號風險:
1. 預設帳號密碼未更改
2. 離職員工帳號未刪除或仍有效
3. 員工共用一個帳號，帶來相關問題，如：開錯採購單、非法入侵或使用
4. 權限衝突風險：使用者帳號同時擁有不同的作業活動，例如：建立供應商、開立發票、付款

22

SAP 權限管理架構與SOD風險矩陣之應用

SAP權限管理架構圖:

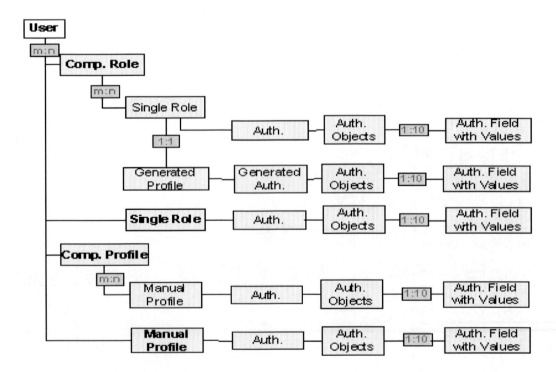

http://help.sap.com/saphelp_nw73ehp1/helpdata/en/52/671285439b11d1896f0000e83
22d00/frameset.htm

SAP 角色的標準權限表:

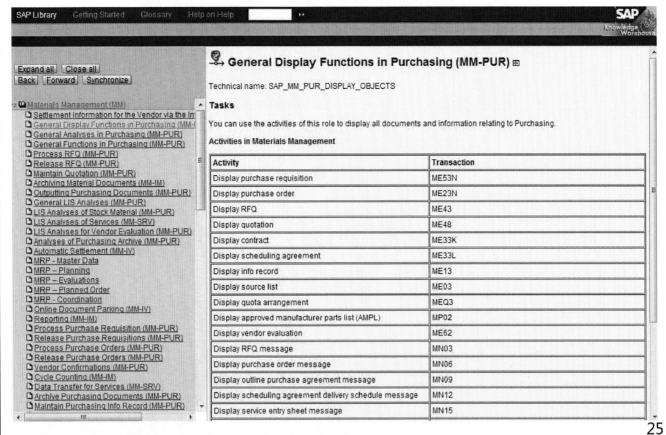

角色衝突風險矩陣:

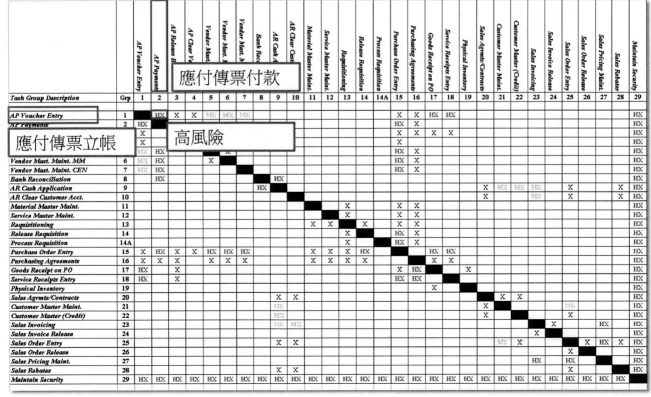

角色衝突表:

角色1	角色2	風險
AP Voucher Entry (SAP_FI_AP_INVOICE_PROCESSING)	AP Payment (SAP_FI_AP_PAYMENT_CHECKS)	Very High
AP Voucher Entry (SAP_FI_AP_INVOICE_PROCESSING	Good Receipt on PO (SAP_MM_GR_PURCHASE_ORDER)	Very High
AP Voucher Entry (SAP_FI_AP_INVOICE_PROCESSING	Service Receipt Entry (SAP_EP_LO_MM_ME00_01)	Very High

權限衝突檔的產生方式:

	角色(ROLE)	權限(T-CODE)
角色1	應付傳票立帳 (SAP_FI_AP_INVOICE_PROCESSING ex: AP Voucher Entry)	F-43、F-48、F-51、F-53 F-54、F-59、FB02、FB08 FB09、FB10...
角色2	應付傳票付款 (SAP_FI_AP_PAYMENT_CHECKS ex: AP Payment)	F110、F111、FCHD、 FCHG、FCHN、FCHX...

角色1的權限	角色2的權限	風險
F-43	F110	High
F-43	F111	High
F-43	FCHD	High
F-43	FCHG	High

權限衝突檔(Conflict_Risk):

T Code 1	T Code 2	Risk Level	Risk
F110	FBL2N	High	User able to set up a fraudulent automatic payment for an invoice, which the user changed.
F110	FI01	High	User able to create a fictitious company bank account and set up an automatic payment from it.
F110	FI02	High	User able to change a company bank account and set up an automatic payment from it.
F110	FK01	High	User able to create a fictitious vendor and set up an automatic payment for the vendor.
F110	FK02	High	User able to change a fictitious vendor and set up an automatic payment for the vendor.
F110	ME21	High	User able to set up a fraudulent automatic payment for an order that the user created.
F110	ME21N	High	User able to set up a fraudulent automatic payment for an order that the user created.
F110	ME22	High	User able to set up a fraudulent automatic payment for an order that the user changed.
F110	ME22N	High	User able to set up a fraudulent automatic payment for an order that the user changed.
F110	ME25	High	User able to set up a fraudulent automatic payment for an order that the user created.
F110	ME28	High	User able to set up a fraudulent automatic payment for an order that the user released.

29

ACL指令說明—JOIN與 Relate Tables

在ACL系統中，提供使用者可以運用**比對**(Join)、**勾稽**(Relations)、和**合併**(Merge)......等指令″，可結合兩個或兩個以上的資料檔案，並成第三個檔案進行資料查核分析。

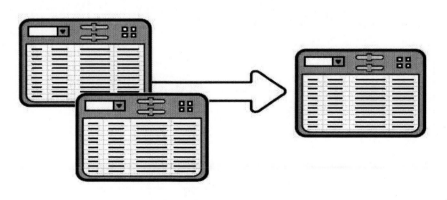

30

可同時使用多個資料表進行分析:

• Join指令: 比對

– 比對『兩個排序』檔案的欄位成為第三個檔案。

• Relations指令: 勾稽

– 『兩個或更多個檔案』間建立關聯,大部分功能可以用勾稽指令來執行且速度更快與更容易。

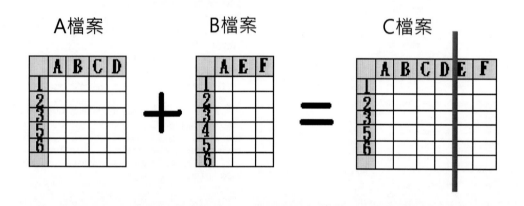

31

Join(比對)指令使用五大步驟:

1. 要比對檔案資料須屬於同一個ACL專案中。

2. 兩個檔案中需有共同特徵欄位/鍵值欄位(例如:員工編號、身份證號)。

3. 特徵欄位中的資料型態、長度需要一致。

4. 執行比對時須先將次要檔案進行排序。

5. 選擇Join類別:

   A. Matched Primary and Secondary First Secondary Match
   B. Unmatched Primary
   C. All Primary and Matched Secondary
   D. All Secondary and Matched Primary
   E. All Primary and Secondary
   F. Matched Primary and Secondary All Secondary Matchs

32

Join的六種分析狀況

◆ **分為對六種狀況：**

➢ 狀況一：僅保留對應成功的資料。
(Matched Primary and Secondary First Secondary Match)

➢ 狀況二：保留未對應成功的主要檔資料。
(Unmatched Primary)

➢ 狀況三：僅保留對應成功與主要檔中未對應成功的資料。
(All Primary and Matched Secondary)

➢ 狀況四：僅保留對應成功與次要檔中未對應成功的資料。
(All Secondary and Matched Primary)

➢ 狀況五：保留所有對應成功與未對應成功的主檔與次檔資料。
(All Primary and Secondary)

➢ 狀況六：保留對應成功的所有次要檔資料
(Matched Primary and Secondary All Secondary Matchs)

Join指令操作畫面新舊比較:

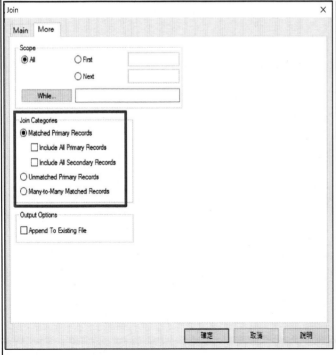

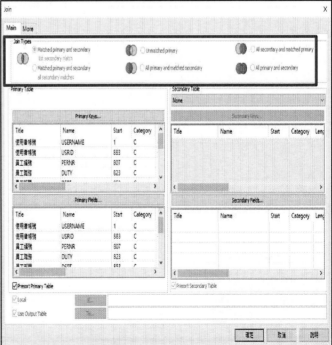

AN13版以前   AN14版(NEW)

Join(比對)指令_類別介紹:

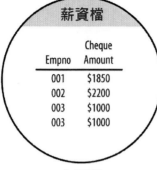

主要檔 　　　　次要檔

② **Unmatched Primary**

① **Matched Primary and Secondary**

First Secondary Match

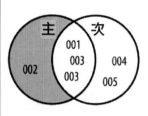

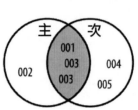

35

Join(比對)指令_類別介紹:

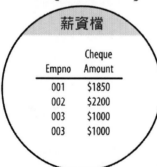

主要檔 　　　　次要檔

④ **All Secondary and Matched Primary**

③ **All Primary and Matched Secondary**

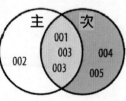

36

Join(比對)指令_類別介紹:

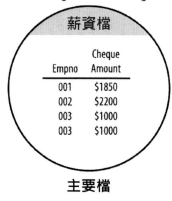

薪資檔 主要檔

Empno	Cheque Amount
001	$1850
002	$2200
003	$1000
003	$1000

員工檔 次要檔

Empno	Pay Per Period
001	$1850
003	$2000
004	$1975
005	$2450

⑤ All Primary and Secondary

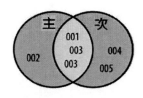

輸出檔

Empno	Cheque Amount	Pay Per Period
001	$1850	$1850
002	$2200	$0
003	$1000	$2000
003	$1000	$2000
004	$0	$1975
005	$0	$2450

37

Join(比對)指令_類別介紹:

Payroll Ledger

Empno	Cheque Amount	Pay Date
006	$2100	15 Jan 11
006	$2100	31 Jan 11
006	$2300	15 Feb 11
006	$2300	28 Feb 11

Primary Table

Employee Records

Empno	Pay Per Period	Start Date
004	$1975	19 Oct 09
005	$2450	17 May 10
006	$2100	15 Sep 08
006	$2300	01 Feb 11

Secondary Table

1. 找出支付單與員工檔中相同員工代號所有相符資料
2. 篩選出正確日期之資料
3. 比對支付單中實際支付與員工檔中記錄薪支是否相符

Many-to-Many

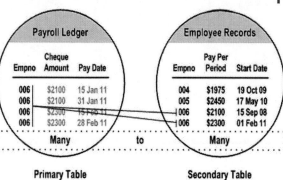

Payroll Ledger

Empno	Cheque Amount	Pay Date
006	$2100	15 Jan 11
006	$2100	31 Jan 11
006	$2500	15 Feb 11
006	$2300	28 Feb 11

Many

Employee Records

Empno	Pay Per Period	Start Date
004	$1975	19 Oct 09
005	$2450	17 May 10
006	$2100	15 Sep 08
006	$2300	01 Feb 11

to　Many

Primary Table　　Secondary Table

PAYDATE<=`20110131`
AND
STARTDATE=`20080915`
OR
PAYDATE>`20110131`
AND
STARTDATE=`20110201`

Output Table

Empno	Cheque Amount	Pay Per Period
006	$2100	$2100
006	$2100	$2100
006	$2300	$2300
006	$2300	$2300

Many-to-Many

http://docs.acl.com/acl/920/index.jsp?topic=/com.acl.user_guide.help/data_analysis/c_examples_of_join_types.html

38

ACL指令說明—MATCH( )

在ACL系統中，若需要比對資料值是否相符，便可使用MATCH( )指令完成，允許查核人員快速的於大量資料中，比對找出符合所需的資料值的記錄，故可應用於如找出非授權人員異動的資料記錄。

39

如何使用ACL完成專案

- ➤ ACL可以從頭到尾管理你的資料分析專案。
- ➤ 專案規劃方法採用六個階段：

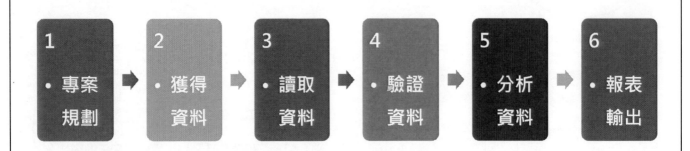

40

一、專案規劃

查核項目	資通安全作業稽核	存放檔名	ERP權限控管查核
查核目標	進行資通安全作業之ERP權限控管查核。		
查核說明	針對ERP權限管理是否適當進行控制查核，檢核是否有須深入追查之權限管理失當帳號。		
查核程式	1. 查核系統預設帳號之密碼是否有未變更情形。(情境一) 2. 查核同一帳號是否有多位員工共用之情形。 (情境二) 3. 查核離職員工之帳號是否有未鎖定之情形。 (情境三) 4. 查核各角色內的交易權限，是否有衝突或高風險之情形 。(情境四) 5. 查核各使用者帳號是否有不相容職務之權限衝突情形。(情境五)		
資料檔案	使用者登入檔、使用者角色分派檔、角色權限表分派檔、員工異動檔、員工通訊檔、權限衝突檔		
所需欄位	請詳後附件明細表		

41

二、獲得資料

- 稽核部門可以寄發稽核通知單，通知受查單位準備之資料及格式。
- 稽核部門檔案資料：
  - ☑ 權限衝突表(Conflict_Risk)
- 受查單位檔案資料：
  - ☑ 使用者登入檔(USR02)
  - ☑ 使用者角色分派表(AGR_USERS)
  - ☑ 角色交易權限表(AGR_TCODES)
  - ☑ 員工異動表(PA0000)
  - ☑ 員工聯絡資訊表(PA0105)

稽核通知單

受文者	A電子股份有限公司　　　　資訊室	
主旨	為進行公司權限管理查核工作，請 貴單位提供相關檔案資料以利查核工作之進行。所需資訊如下說明。	
說明		
一、	本單位擬於民國XX年XX月XX日開始進行為期X天之例行性查核，為使查核工作順利進行，謹請在XX月XX日前 惠予提供XXXX年XX月XX日至XXXX年XX月XX日之客戶相關明細檔案資料，如附件。	
二、	依年度稽核計畫辦理。	
三、	後附資料之提供，若擷取時有任何不甚明瞭之處，敬祈隨時與稽核人員聯絡。	
請提供檔案明細：		
一、	使用者登入檔,使用者角色分派表,角色交易權限表,交易權限物件表,交易權限說明表,角色物件表,請提供包含欄位名稱且以逗號分隔的文字檔，並提供相關檔案格式說明(請詳附件)	
稽核人員：Allen		稽核主管：Sherry

42

三、資料讀取:

SAP資料擷取方法:

1. 利用TCODE
2. 使用ACL Direct Link
3. 使用 SAP ODBC
   稽核資料倉儲

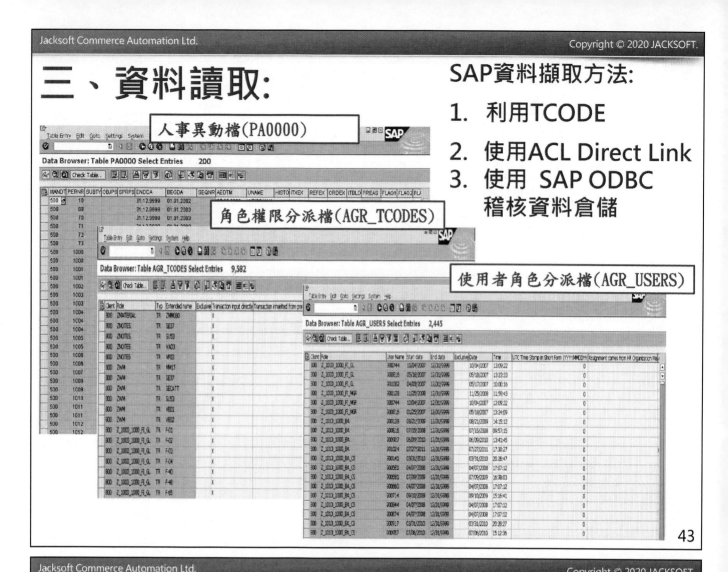

人事異動檔(PA0000)

角色權限分派檔(AGR_TCODES)

使用者角色分派檔(AGR_USERS)

43

---

(1) T-CODE資料擷取: SE11+SE16

員工通訊檔(PA0105)

使用者登入檔(USR02)

44

(2)ACL SAP DL--智慧化表格與欄位搜尋

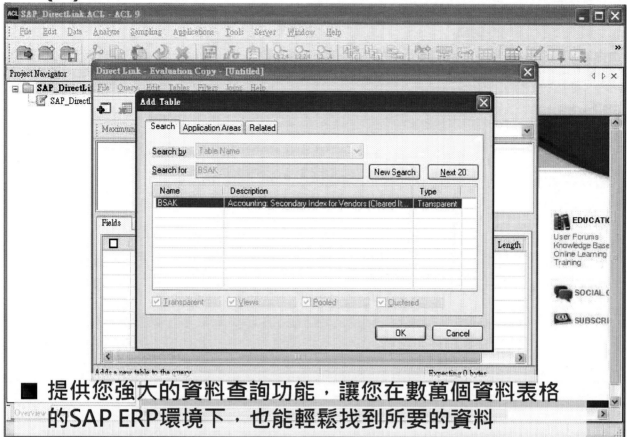

■ 提供您強大的資料查詢功能，讓您在數萬個資料表格
的SAP ERP環境下，也能輕鬆找到所要的資料

選擇所要查詢的資料表

■ 可依SAP各模組分類方式，進行資料表查詢，並可隨時
依需要往下展開，清楚掌握SAP資料表架構

跨資料表查詢-自動顯示相關聯的表格

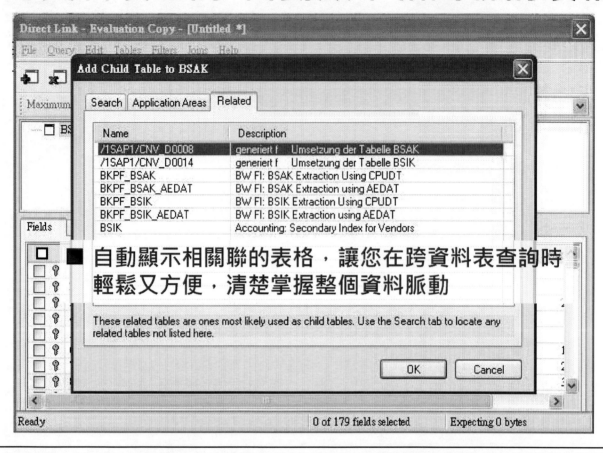

Direct Link - Evaluation Copy - [Untitled *]

File Query Edit Tables Filters Joins Help

Add Child Table to BSAK

Search | Application Areas | **Related**

Name	Description
/1SAP1/CNV_D0008	generiert f Umsetzung der Tabelle BSAK
/1SAP1/CNV_D0014	generiert f Umsetzung der Tabelle BSIK
BKPF_BSAK	BW FI: BSAK Extraction Using CPUDT
BKPF_BSAK_AEDAT	BW FI: BSAK Extraction using AEDAT
BKPF_BSIK	BW FI: BSIK Extraction Using CPUDT
BKPF_BSIK_AEDAT	BW FI: BSIK Extraction using AEDAT
BSIK	Accounting: Secondary Index for Vendors

自動顯示相關聯的表格，讓您在跨資料表查詢時輕鬆又方便，清楚掌握整個資料脈動

These related tables are ones most likely used as child tables. Use the Search tab to locate any related tables not listed here.

OK　　Cancel

Ready　　　　　　0 of 179 fields selected　　　Expecting 0 bytes

47

資料表欄位格式顯示

Direct Link - Evaluation Copy - [Untitled *]

File Query Edit Tables Filters Joins Help

Maximum rows 500　☐All　　　　　　　Mode Background

☐ BSAK - Accounting: Secondary Index for Vendors (Cleared Items)

■ 可以顯示資料表上的欄位格式，確保可輕鬆選擇加入所需的欄位

Fields | Filters | Joins

☑		Or...	Name	Description	SAP Data ...	ACL Data...	Leng
☑	?	1	MANDT	Client	CLNT	UNICODE	
☑	?	2	BUKRS	Company Code	CHAR	UNICODE	
☑	?	3	LIFNR	Account Number of Vendor or Creditor	CHAR	UNICODE	2
☑	?	4	UMSKS	Special G/L Transaction Type	CHAR	UNICODE	
☑	?	5	UMSKZ	Special G/L Indicator	CHAR	UNICODE	
☑	?	6	AUGDT	Clearing Date	DATS	DATE	1
☑	?	7	AUGBL	Document Number of the Clearing Document	CHAR	UNICODE	2
☑	?	8	ZUONR	Assignment Number	CHAR	UNICODE	3

Ready　　　　　　179 of 179 fields selected　　　Expecting 1620 KB

48

資料顯示於ACL 系統中

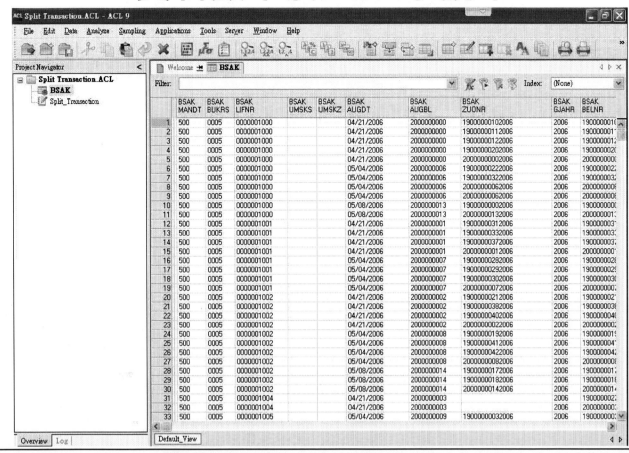

49

SAP資料擷取特性比較:

資料萃取特性	Direct Link	TCODE
智慧化查詢	• 多樣化條件查詢 (可依表格名稱、表格描述、欄位名稱、欄位描述查詢) • 模組化查詢 (依SAP模組查詢) • 多表關聯式查詢 (勝)	• 僅能輸入表格名稱查詢 • 僅能由SAP畫面表單欄位回查表格,無法模組查詢 • 一次僅能查詢單表,無法查詢多表關聯
便利化使用	資料下載匯入步驟簡易,只需點選下載按鈕,一步驟即可完成資料下載與匯入ACL。 (勝)	資料下載匯入步驟繁瑣:(1)下載為excel檔、(2)去除excel表頭資訊、(3)定義資料欄位格式匯入ACL。
彈性等待模式	可依系統資源使用狀態,選擇Extract Now (直接)或Background (背景)下載等待模式,不佔用資源,系統可待資源充裕時下載。 (勝)	只提供直接下載方式,資料下載等待期間,直接佔用系統資源,可能因系統資源不足而中斷。
資料下載量	目前國內客戶每月可下載超過六千萬筆資料(KONV)檔,進行價格分析 (勝)	Excel 2010版本,約70,000筆資料已難以開啟執行。
效能提升性	採低優先權處理,不強取系統資源,使系統執行效能提升。 (勝)	採平等優先權處理,造成系統易因資源不足而效能降低。
獨立性	獨立於SAP系統,所有欄位皆可下載匯入ACL。 (勝)	屬於SAP功能之一,且可由撰寫程式隱藏資料欄位,獨立性無法確保。

50

(3)SAP ODBC 特色

- 非SAP 所開發軟體，獨立性無問題
- 全球各大資訊公司強力推薦的資料下載軟體
- 直接連結SAP ERP來建立稽核資料倉儲，解決您存取SAP資料時繁複的匯入/匯出程序與資料量過大的問題。
- SAP ERP 稽核資料字典，ACL連接SAP 就像連接一般資料庫一樣簡單。
- 直接與SAP ERP連接，下載大量資料至ACL中，進行相關查核作業。

51

SAP ODBC 使用方式

52

SAP ODBC 使用方式(續)

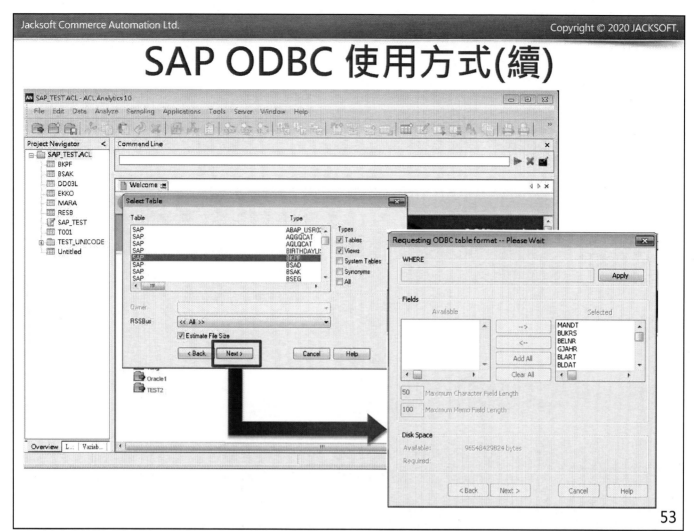

53

SAP ODBC 使用方式(續)

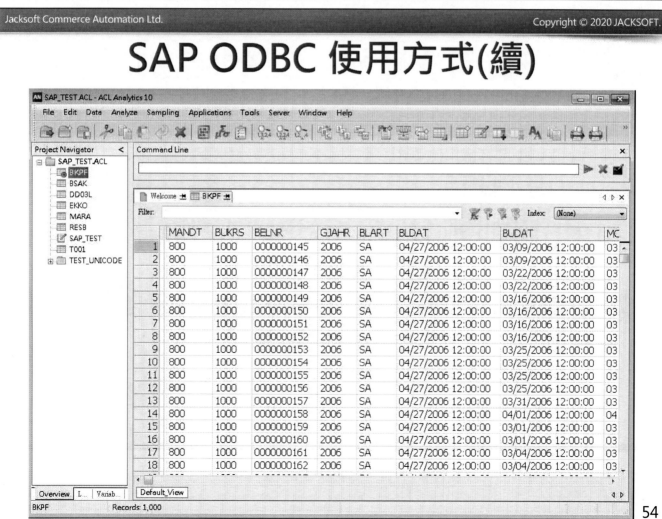

54

SAP DL與 SAP ODBC->比較

比較項目	SAPDL+ACL+JTK	SAP ODBC+ACL+JTK
SAP 認證	DL 通過 SAP 認證通過軟體	透過外部的 SAP ODBC Driver 透過SAP GUI 來連線
Server 安裝方式	以標準SAP Add-On 方式安裝，產品整合度高	以建立 ABAP RFC Function modules方式安裝
技術複雜性	提供簡易的介面與操作指令，學習簡易	使用最通用的ODBC介面，無學習困難
資料字典	提供多種角度查詢SAP Data Dictionary的功能，僅可使用英文Dictionary	提供SAP稽核資料倉儲所需的基本Data Dictionary，可以使用英文/中文 Dictionary
資料下載量	資料下載為稽核資料分析檔案(FIL)，無限制資料量速度快	資料下載為稽核資料分析檔案(FIL)，資料量受限於SAP設定
使用效能	提供Extract Now (直接)或 Background (背景)下載模式，可利用自動排程方式提高效率。	提供Extract Now (直接)下載模式，可利用自動排程方式執行提高效率。

SAP稽核資料倉儲與 ACL 的結合功能特性

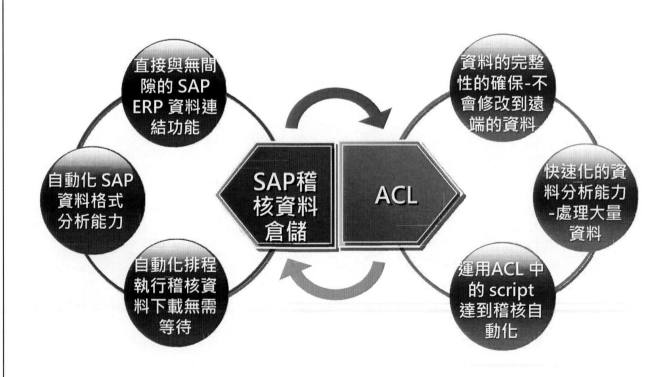

使用者登入檔(USR02)

開始欄位	長度	欄位名稱	意義	型態	備註
1	12	BNAME	使用者帳號	C	
13	3	UFLAG	帳號鎖定狀態	C	0:未鎖定
16	10	PWDCHGDATE	密碼更改日	D	YYYY/MM/DD
26	1	PWDINITIAL	密碼為初始值	C	1:初始

C：表示字串欄位　　　　※資料筆數：10,332

D：表示日期欄位

N：表示數值欄位

人事異動檔(PA0000)

開始欄位	長度	欄位名稱	意義	型態	備註
1	8	PERNR	員工編號	C	
9	2	MASSN	異動類型	C	
11	2	MASSG	異動原因	C	
13	10	BEGDA	異動起始日	D	YYYYMMDD
23	10	ENDDA	異動終止日	D	YYYYMMDD
33	1	STAT2	雇用狀態	C	0 =離職

C：表示字串欄位　　　　※資料筆數：30,201

D：表示日期欄位

N：表示數值欄位

員工通訊檔(PA0105)

開始欄位	長度	欄位名稱	意義	型態	備註
1	8	PERNR	員工編號	C	
9	4	SUBTY	通訊類型	C	0001=使用者帳號
13	30	USRID	通訊資料：ID、號碼、地址		

C：表示字串欄位　　　　　　※資料筆數：53,688

D：表示日期欄位

N：表示數值欄位

角色權限分派檔(AGR_TCODES)

開始欄位	長度	欄位名稱	意義	型態	備註
1	30	AGR_NAME	角色名稱	C	
31	48	TCODE	權限名稱	C	

C：表示字串欄位　　　　　※資料筆數：160,715

D：表示日期欄位

N：表示數值欄位

使用者角色分派檔(AGR_USERS)

開始欄位	長度	欄位名稱	意義	型態	備註
1	30	AGR_NAME	角色名稱	C	
31	12	UNAME	使用者帳號	C	
43	10	FROM_DAT	角色分派日	D	YYYY/MM/DD
51	10	TO_DAT	角色終止日	D	YYYY/MM/DD

C：表示字串欄位　　　　　※資料筆數：12,441

D：表示日期欄位

N：表示數值欄位

權限衝突檔(Conflict_Risk)

開始欄位	長度	欄位名稱	意義	型態	備註
1	48	TCODE_1	權限1	C	
49	48	TCODE_2	權限2	C	
97	6	Risk_Level	風險水準	C	
101	175	Risk	風險	C	

C：表示字串欄位　　　　　※資料筆數：1,502

D：表示日期欄位

N：表示數值欄位

情境一：
查核是否有預設帳號密碼未變更者

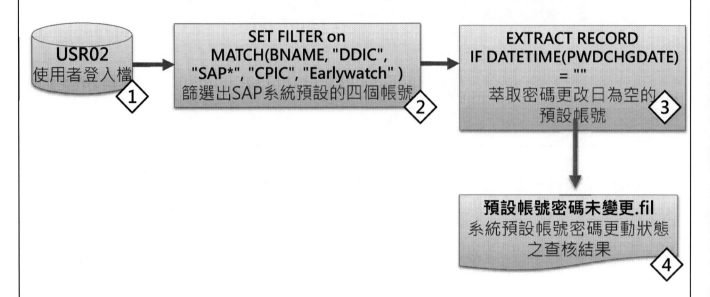

註：DDIC、SAP*、CPIC、Earlywatch為SAP系統預設帳號

63

完成ACL查核專案建立與資料匯入：

64

分析資料 – Filter

- 開啟使用者登入檔
- 點擊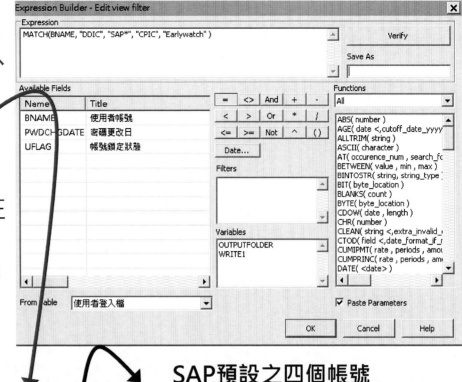
- 輸入篩選條件
- 點選Verify驗證篩選條件是否正確
- 點選" OK" 完成

SAP預設之四個帳號

MATCH(BNAME, "DDIC", "SAP*", "CPIC", "Earlywatch")

分析資料 – Extract

- Data→Extract Data
- 選擇Record，列出所有紀錄
- 點選If 輸入運算式： DATETIME (PWDCHGDATE) = ""
- 另存檔名： 預設帳號密碼未變更
- 點選"確定"完成

補充說明：欄位形式及運算

- 欄位型式可分成：
  1. C：文字型→文字用雙引號" "
  2. N：數值型→不用任何引號
  3. L：邏輯型→演算式即為邏輯型態
  4. D：日期型→用倒單引號``

- ACL Expression由Data Fields, Operators, Constants, Functions, Variables所組成。

型式轉換	說明
C→N	Value( )
N→C	String( )
C→D	CTOD( )
D→C	DATE( ) 、 DATETIME()

情境一查核結果:

Project Navigator
- 預設帳號密碼未變更查核.ACL
  - 使用者登入檔
  - 預設帳號密碼未變更
  - 預設帳號密碼未變更查核

Welcome | 預設帳號密碼未變更

Filter: ▼   Index: (None) ▼

	使用者帳號	帳號鎖定狀態	密碼更改日	密碼為初始值
1	CPIC	0		1
2	Earlywatch	0		1

<< End of File >>

Overview | Log

Default_View

預設帳號密碼未變更   2 Records   查核出兩組預設帳號密碼未變更

情境二、查核同一帳號是否有多位員工共用之情形

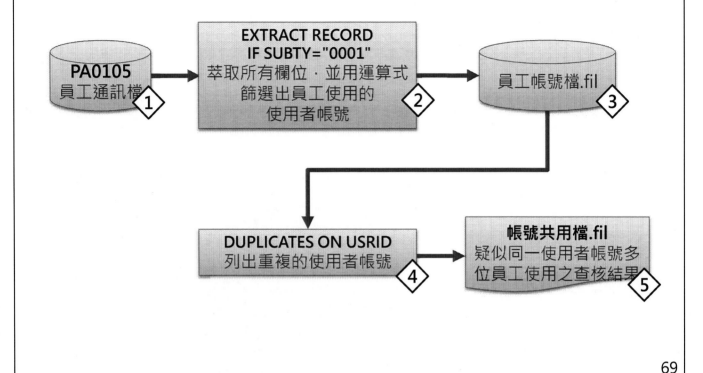

完成ACL查核專案建立與資料匯入:

分析資料—Extract

- 開啟員工通訊檔
- Data→Extract Data
- 選擇Record
- 點選IF, 輸入以下運算式： SUBTY = "0001"
- 按Verify驗證確認
- 確認完成後，點選ok 即完成條件式的輸入
- 於TO 輸入表單名稱： 員工帳號檔
- 按確定即完成

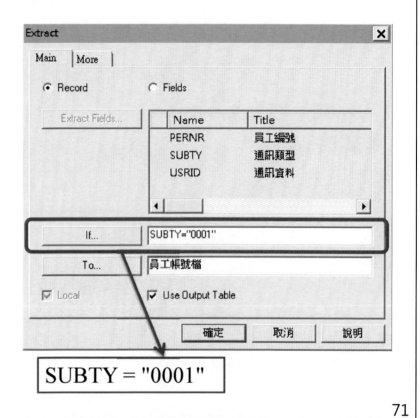

SUBTY = "0001"

71

分析資料—Extract畫面

	員工編號	通訊類型	通訊資料
1	00100267	0001	BAYSU
2	00100268	0001	MORRISJ
3	00100269	0001	NICOLSJ
4	00100270	0001	STANDFORDJ
5	00100271	0001	STEVENSL
6	00100272	0001	100272
7	00100273	0001	HELP
8	00100274	0001	100274
9	00100275	0001	100275
10	00100276	0001	100276
11	00100277	0001	100277
12	00100278	0001	100278
13	00100279	0001	100279
14	00100280	0001	100280
15	00100281	0001	100281
16	00109602	0001	JONESV
17	00109603	0001	RETMGR
18	00109605	0001	BUTCH
19	00109605	0001	MICHAELST

Project Navigator
- 員工共用帳號查核.ACL
  - 員工共用帳號查核
  - 員工帳號檔
  - 員工通訊檔

Welcome　員工帳號檔

Filter:　　　　　Index: (None)

Overview | Log
Default_View

員工帳號檔　　1,358 Records

72

分析資料—Duplicate

- 開啟**員工帳號檔**
- Analyze→ Look for Duplicates
- Duplicates On: 選擇通訊資料
- List Fields: 選擇所有欄位
- Output輸出表單名稱 帳號共用檔
- 按確定即完成

情境二查核結果:

24筆員工共用帳號

查核情境三、離職員工帳號未鎖定

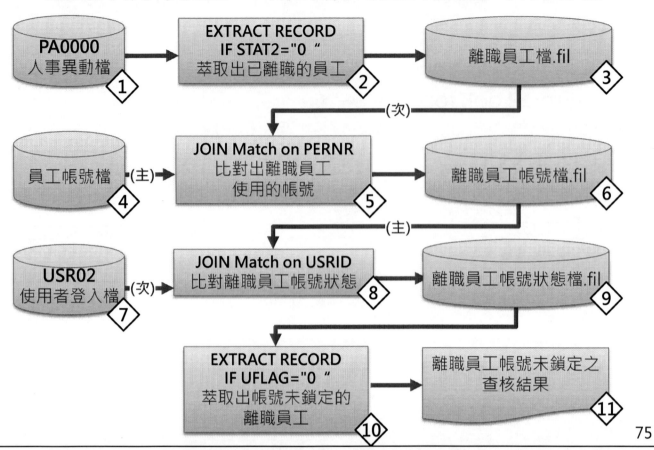

完成ACL查核專案建立與資料匯入:

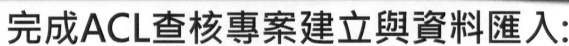

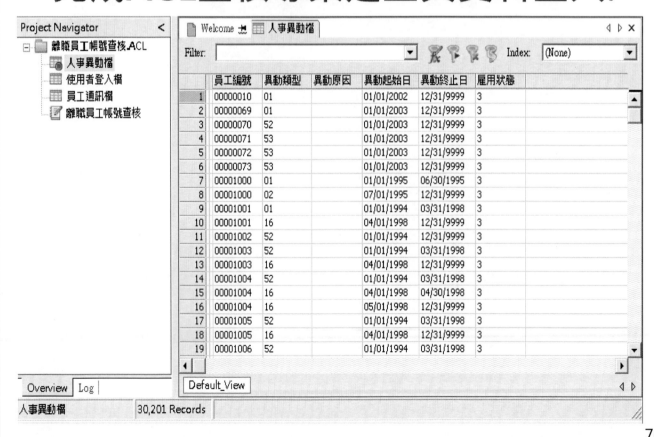

分析資料 – Extract

- 開啟人事異動檔
- Data→Extract Data
- 選擇Record
- 點選IF, 輸入以下運算式：
  STAT2 = "0"
- 按Verify確認
- 確認完成後，點選ok即完成條件式的輸入
- 輸入表單名稱：離職員工檔
- 按確定即完成

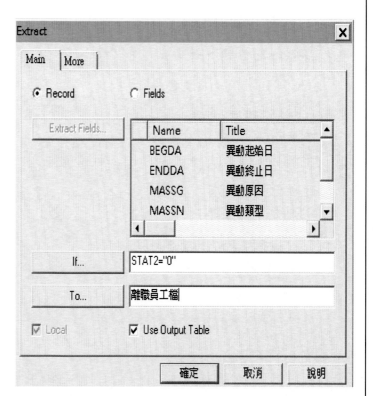

分析資料 – Extract

分析資料 – Join

- 開啟員工帳號檔
- Data→Join Table
- Secondary Table
  選取離職員工檔
- 主表(員工帳號檔)以
  員工編號(PERNR)，
  而次表(離職員工檔)
  也以員工編號
  (PERNR) 為關聯鍵
- 勾選主表所有欄位
- 勾選次表欄位
  雇用狀態(STAT2)
- 輸入檔名為
  離職員工帳號檔

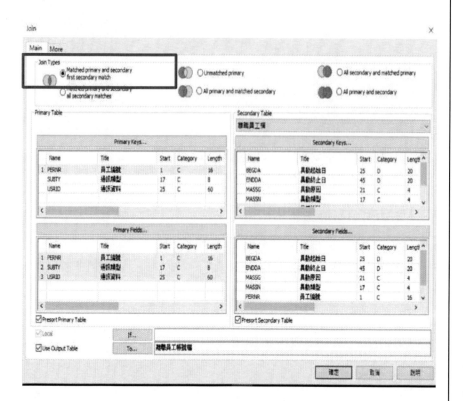

分析資料 – Join

- 於上方Join Types
  處選擇:
  **Matched Primary
  and Secondary
  First Secondary
  Match**
- 點擊「確定」

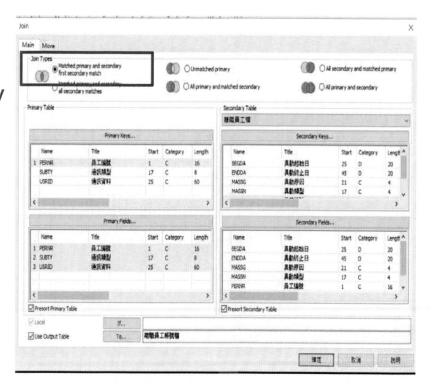

分析資料 – Join

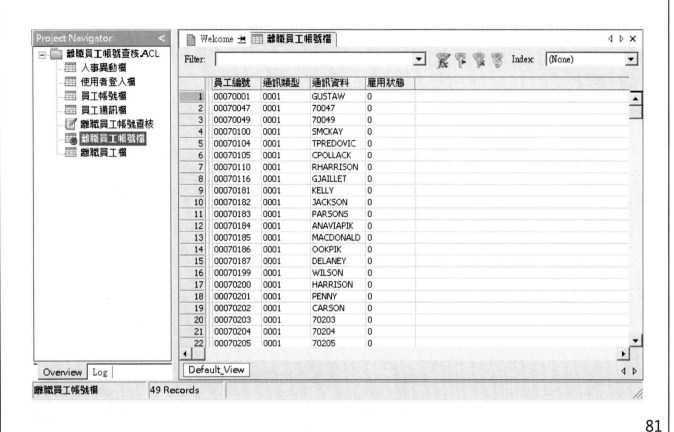

分析資料 – Join

- 開啟離職員工帳號檔
- Data→Join Table
- Secondary Table選取使用者登入檔
- 主表(離職員工帳號檔)以通訊資料 (USRID)為關聯鍵,而次表(使用者登入檔)以使用者帳號(BNAME)
- 勾選主表所有欄位
- 勾選次表欄位帳號鎖定狀態
- 輸入檔名為離職員工帳號狀態檔

分析資料 – Join

- 於上方Join Types 處選擇:
  Matched Primary and Secondary First Secondary Match
- 點擊「確定」

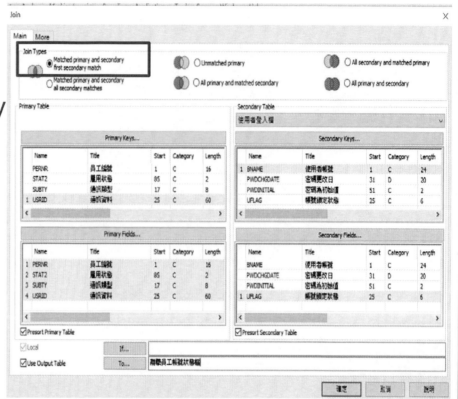

分析資料 – Join

分析資料 – Extract

- 開啟離職員工帳號狀態檔
- Data→Extract Data
- 選擇Record
- 點選IF, 輸入以下運算式：
  UFLAG="0"
- 按Verify確認
- 確認完成後，點選ok即完成條件式的輸入
- 輸入表單名稱：離職員工帳號未鎖定
- 按確定即完成

85

情境三查核結果:

6位離職員工帳號未鎖定

86

查核情境四、查核各角色內的交易權限,是否有衝突之高風險之情形

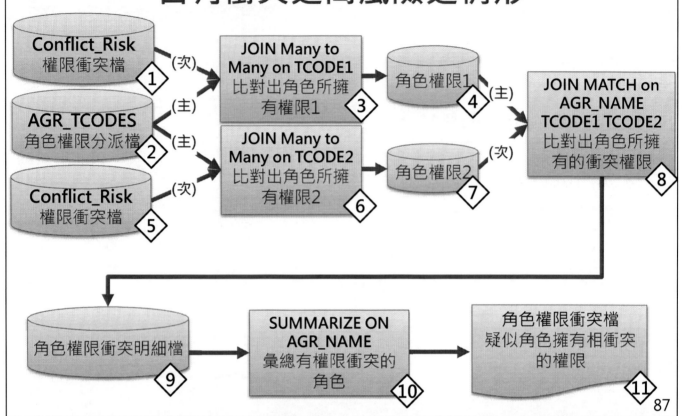

完成ACL查核專案建立與資料匯入:

Project Navigator

- 高風險角色查核.ACL
  - 角色權限分派檔
  - 高風險角色查核
  - 權限衝突檔

Welcome | 角色權限分派檔

Filter: | Index: (None)

	角色名稱	權限名稱
1	/ECRS/ECR_APP	/ECRS/DVI_EDIT
2	/ECRS/ECR_APP	/ECRS/POI_EDIT
3	/ECRS/ECR_APP	/ECRS/RP_EDIT
4	/ECRS/ECR_APP	/ECRS/WL_DELETE
5	/ECRS/ECR_APP	/ECRS/WL_DISPLAY
6	/ECRS/ECR_APP	/ECRS/WL_IMPORT
7	/ISDFPS/ALE_SYNC	/ISDFPS/SYSTEM_STATE
8	/ISDFPS/LM_MASTER_EQUI	IE01
9	/ISDFPS/LM_MASTER_EQUI	IE02
10	/ISDFPS/LM_MASTER_EQUI	IE03
11	/ISDFPS/LM_MASTER_EQUI_CHANGE	IE01
12	/ISDFPS/LM_MASTER_EQUI_CHANGE	IE02
13	/ISDFPS/LM_MASTER_EQUI_CHANGE	IE03
14	/ISDFPS/LM_MASTER_EQUI_READ	IE01
15	/ISDFPS/LM_MASTER_EQUI_READ	IE02

Overview | Log   Default_View

角色權限分派檔   160,715 Records

分析資料 – Join

- 開啟**角色權限分派檔**
- Data→Join Table
- Secondary Table選取**權限衝突檔**
- 主表(角色權限分派檔)以**權限名稱(TCODE)**為關鍵鍵,而次表(權限衝突檔)以**權限1(TCODE1)**為關聯鍵
- 勾選主表所有欄位
- 勾選次表所有欄位
- 輸入檔名為**角色權限1**

89

分析資料 – Join

- 於上方Join Types處選擇:

  Matched Primary and Secondary All Secondary Matchs

- 點擊「確定」

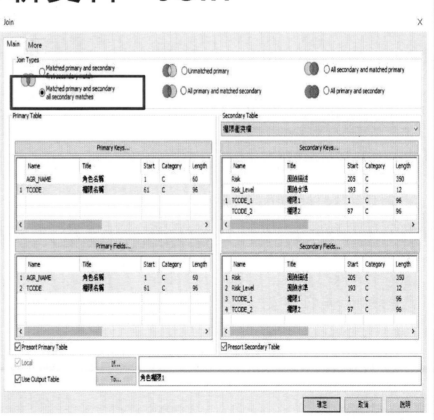

90

分析資料 – Join結果畫面

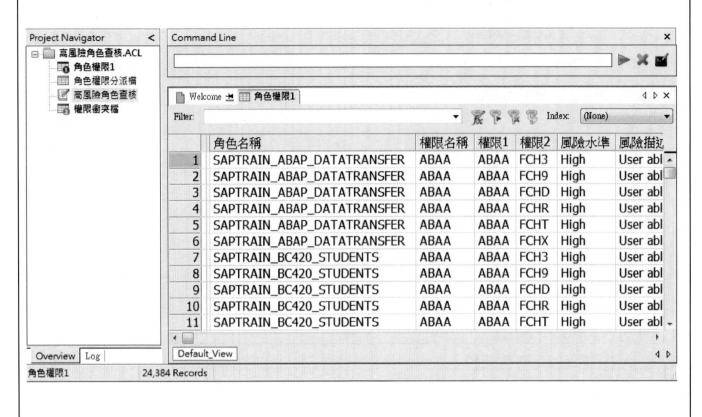

分析資料 – Join

- 開啟角色權限分派檔
- Data→Join Table
- Secondary Table選取權限衝突檔
- 主表(角色權限分派檔)以權限名稱(TCODE)為關鍵鍵，而次表(權限衝突檔)以權限2(TCODE2)為關聯鍵
- 勾選主表所有欄位
- 勾選次表所有欄位
- 輸入檔名為角色權限2

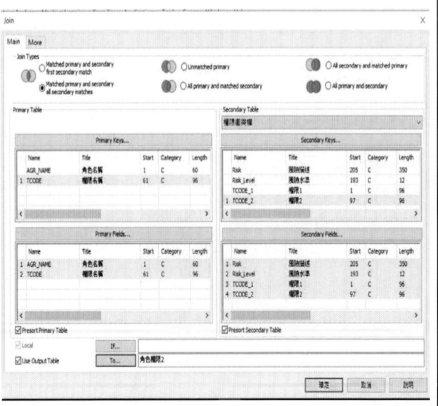

分析資料 – Join

- 於上方Join Types
  處選擇:
  Matched Primary
  and Secondary
  All　Secondary
  Matchs
- 點擊「確定」

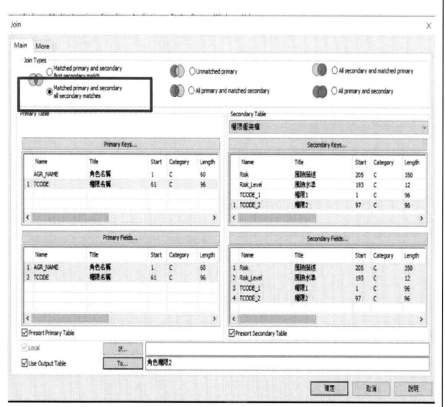

93

分析資料 – Join結果畫面

Project Navigator	
高風險角色查核.ACL	
角色權限1	
角色權限2	
角色權限分派檔	
高風險角色查核	
權限衝突檔	

Welcome | 角色權限2

Filter: 　　　　　　　　　　　　　　　　Index: (None)

	角色名稱	權限名稱	權限1	權限2	風險水準	風險描述
1	SAPTRAIN_ABAP_DATATRANSFER	ABAA	FCH3	ABAA	High	User abl
2	SAPTRAIN_ABAP_DATATRANSFER	ABAA	FCH9	ABAA	High	User abl
3	SAPTRAIN_ABAP_DATATRANSFER	ABAA	FCHD	ABAA	High	User abl
4	SAPTRAIN_ABAP_DATATRANSFER	ABAA	FCHR	ABAA	High	User abl
5	SAPTRAIN_ABAP_DATATRANSFER	ABAA	FCHT	ABAA	High	User abl
6	SAPTRAIN_ABAP_DATATRANSFER	ABAA	FCHX	ABAA	High	User abl
7	SAPTRAIN_BC420_STUDENTS	ABAA	FCH3	ABAA	High	User abl
8	SAPTRAIN_BC420_STUDENTS	ABAA	FCH9	ABAA	High	User abl
9	SAPTRAIN_BC420_STUDENTS	ABAA	FCHD	ABAA	High	User abl
10	SAPTRAIN_BC420_STUDENTS	ABAA	FCHR	ABAA	High	User abl
11	SAPTRAIN_BC420_STUDENTS	ABAA	FCHT	ABAA	High	User abl
12	SAPTRAIN_BC420_STUDENTS	ABAA	FCHX	ABAA	High	User abl
13	SAP_AIO_FINACC-S	ABAA	FCH3	ABAA	High	User abl
14	SAP_AIO_FINACC-S	ABAA	FCH9	ABAA	High	User abl
15	SAP_AIO_FINACC-S	ABAA	FCHD	ABAA	High	User abl

Overview | Log

Default_View

角色權限2　　　　　24,384 Records

94

分析資料 – Join

- 開啟**角色權限1**
- Data→Join Table
- Secondary Table選取
  角色權限2
- 主表(角色權限1)的
  關鍵鍵依序如下：
  **角色名稱、權限1、
  權限2**
- 次表(角色權限2)的
  關鍵鍵**如同角色權限1**
- **勾選主表所有欄位**，
  除了權限名稱
- 次表不勾選欄位
- 輸入檔名為：
  角色權限衝突明細檔

95

分析資料 – Join

- 於上方Join Types
  處選擇：

  **Matched Primary
  and Secondary
  First Secondary
  Match**
- 點擊「確定」

96

分析資料 – Join結果畫面

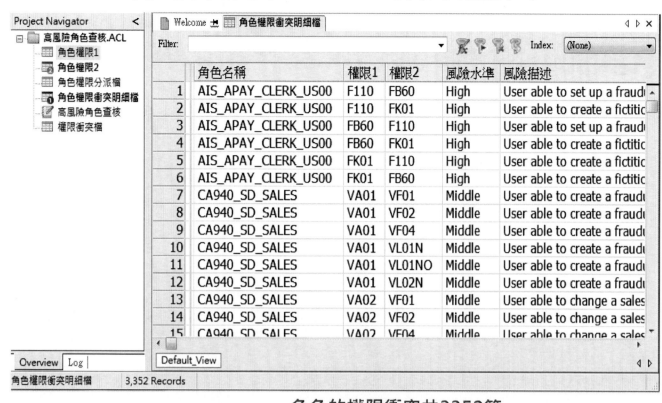

角色的權限衝突共3352筆

分析資料-- Summarize

- 開啟角色權限衝突明細檔
- Analyze→Summarize
- Summarize On 選擇：

角色名稱(AGR_NAME)、

- 於Output輸出表單名稱：

角色權限衝突檔

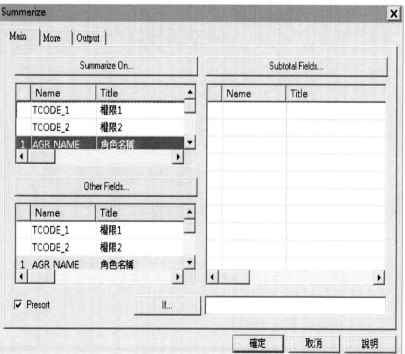

情境四查核結果:

共有100個角色有高風險權限衝突之情況

查核情境五:
查核各使用者帳號是否有不相容職務之權限衝突情形主要查核步驟

Step1：建立使用者角色權限檔
Step2：建立使用者角色權限衝突明細檔
Step3：建立使用者角色衝突檔

查核情境五: 查核各使用者帳號是否有不相容職務之權限衝突情形主要查核步驟流程圖

101

情境五Step 1 : 建立使用者角色權限檔

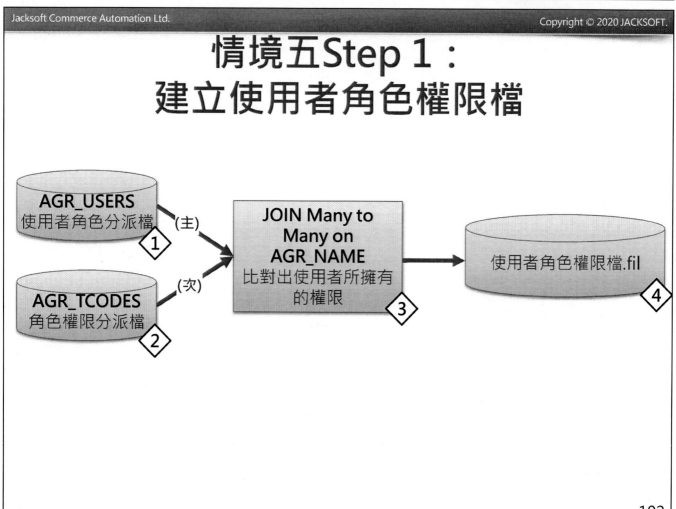

102

分析資料 – Join

- 開啟使用者角色分派檔
- Data→Join Table
- Secondary Table選取角色權限分派檔
- 主表(使用者角色分派檔)以角色名稱 (AGR_NAME)，而次表 (角色權限分派檔)也以角色名稱 (AGR_NAME) 為關聯鍵
- 勾選主表所有欄位
- 勾選次表欄位權限名稱
- 輸入檔名為使用者角色權限檔

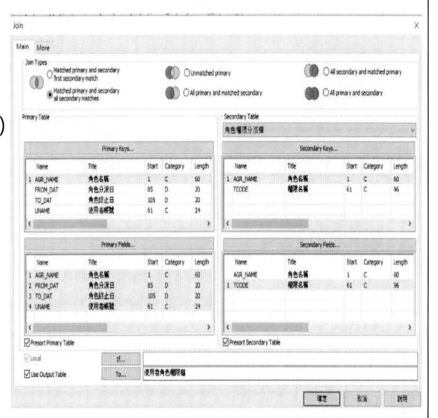

分析資料 – Join

- 於上方Join Types 處選擇:

  Matched Primary and Secondary All Secondary Matchs
- 點擊「確定」

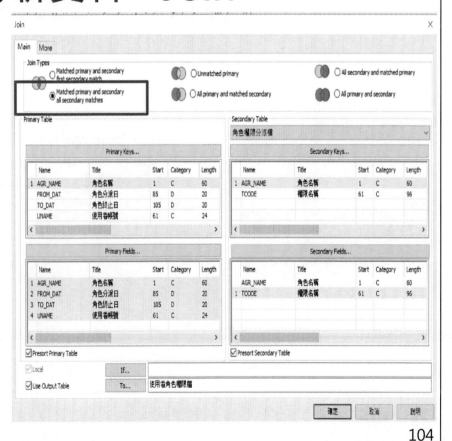

分析資料－Join結果畫面

情境五Step 2：
建立使用者角色權限衝突明細檔

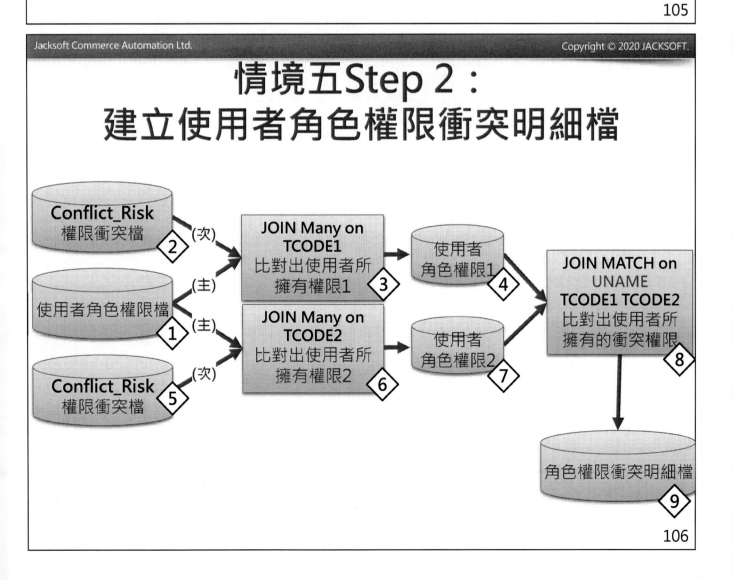

分析資料 – Join

- 開啟使用者角色
  權限檔
- Data→Join Table
- Secondary Table
  選取權限衝突檔
- 主表(使用者角色
  權限檔)以權限名稱
  (TCODE) 為關聯鍵，
  而次表(權限衝突檔)
  以權限1(TCODE_1)
  為關聯鍵
- 勾選主表所有欄位
- 勾選次表所有欄位
- 輸入檔名為
  使用者角色權限1

107

分析資料 – Join

- 於上方Join Types
  處選擇:

  Matched Primary
  and Secondary
  All Secondary
  Matchs

- 點擊「確定」

108

分析資料 – Join結果畫面

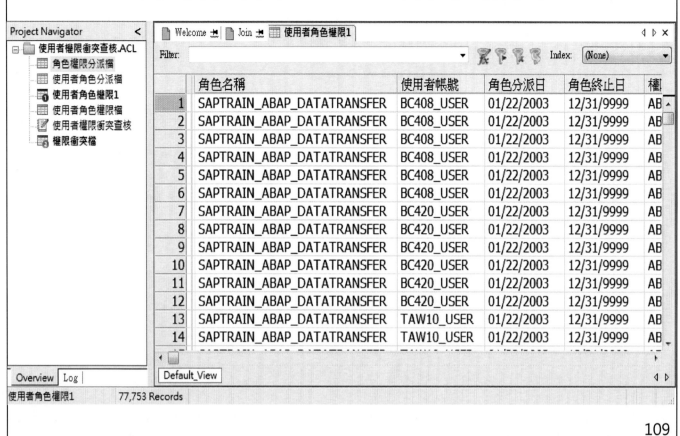

109

分析資料 – Join

- 開啟使用者角色權限檔
- Data→Join Table
- Secondary Table 選取權限衝突檔
- 使用者角色權限檔以權限名稱 (TCODE) 為關聯鍵，而權限衝突檔以權限2 (TCODE_2)為關聯鍵
- 勾選主表所有欄位
- 勾選次表所有欄位
- 輸入檔名為 **使用者角色權限2**

110

分析資料 – Join

- 於上方Join Types 處選擇:

  Matched Primary and Secondary All Secondary Matchs

- 點擊「確定」

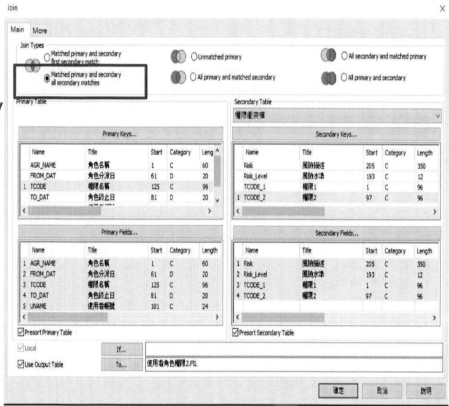

111

分析資料 – Join結果畫面

112

分析資料 – Join

- 開啟使用者角色權限1
- Data→Join Table
- Secondary Table選取使用者角色權限2
- 主表(**使用者角色權限1**)的關聯鍵依序如下：
  使用者帳號、權限1、權限2; 次表
  (使用者角色權限2)
  的關聯鍵依序如下：
  使用者帳號、權限1、權限2
- 勾選主表所有欄位
- 勾選次表欄位角色名稱
- 輸入檔名為：
  使用者角色權限衝突明細檔

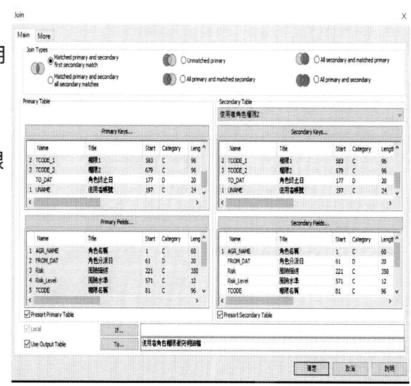

分析資料 – Join

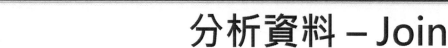

- 於上方Join Types
  處選擇:

  Matched Primary
  and Secondary
  All Secondary
  Matchs

- 點擊「確定」

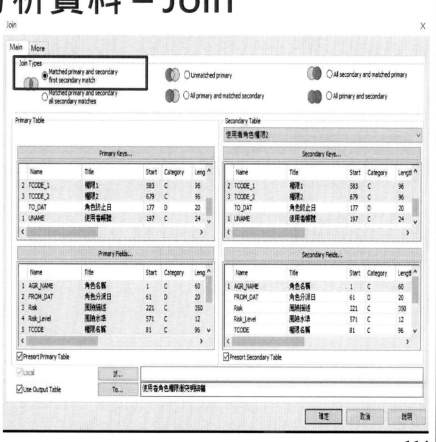

分析資料－Join結果畫面

7,512筆使用者權限相衝突

情境五Step 3：
建立使用者角色權限衝突檔

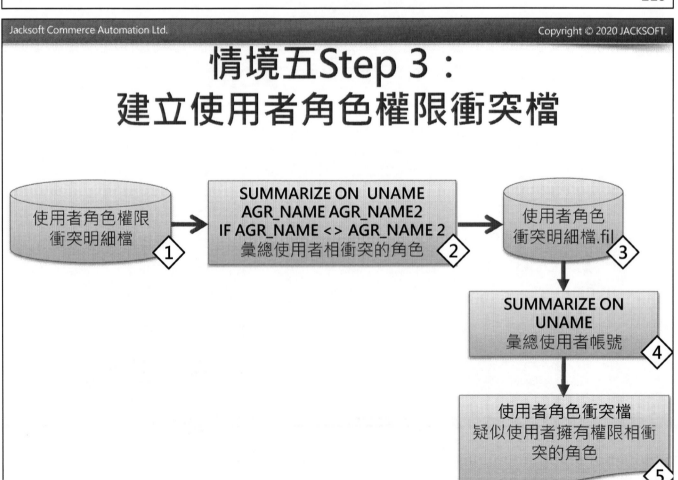

分析資料-- Summarize

- 開啟使用者角色權限衝突明細檔
- Analyze→Summarize
- Summarize On 依序選擇：
  使用者帳號(UNAME)、
  角色名稱(AGR_NAME)、
  角色名稱(AGR_NAME2)
- 其他欄位：不選取
- 運算式輸入：
  AGR_NAME <> AGR_NAME2
- 於Output輸出表單名稱：
  使用者角色衝突明細檔

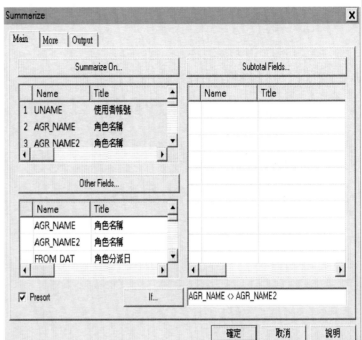

分析資料–Summarize分析結果畫面

167筆：使用者帳號角色相衝突之明細

分析資料– Summarize

- 開啟使用者角色
  衝突明細檔
- Analyze→Summarize
- Summarize On 選擇使用
  者帳號(UNAME)、
- 其他欄位：不選取
- 於Output輸出表單名稱：
  使用者角色衝突檔

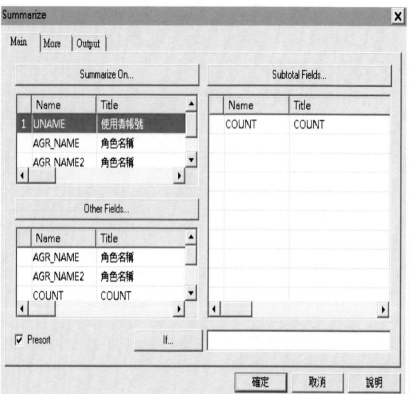

119

分析資料– Summarize分析結果畫面

49個使用者帳號擁有權限相衝突的角色

120

SAP ERP 電腦稽核現況與挑戰

- 查核項目之評估判斷
- 大量的系統畫面檢核與報表分析
- SAP資料庫之<u>資料表數量龐大</u>且<u>關係複雜</u>

海量資料
快速分析

- 資料庫權限控管問題
- 可能需下載大量記錄資料
- SAP系統效能的考量

121

SAP ERP 查核項目

294 頁

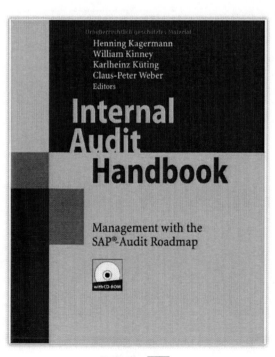

608 頁

122

由專案稽核邁向持續性稽核

- 本質上的勘查與調查
- 找出證據證明結論與提出建議

- 從多重資料來源定期進行分析作業
- 改善查核效率、一致性、與品質

- 對主要營業循環進行線上持續性稽核與監控
- 對任何不正常趨勢、型態、以及例外情形及時通報
- 支援風險評估和促使組織運行更有效率

專案性分析-

- ✓ 專案分析審查
- ✓ 在特定時間進行
- ✓ 以產生查核報告為目的

重複性分析

- ✓ 管理例行性分析作業
- ✓ 由資料分析專家產生
- ✓ 在集中安全的環境中使用，可讓所有部門同仁運用

持續性分析

- ✓ 持續地進行自動化稽核測試作業，辨識出他們所發生的錯誤、異常資料、不正常型態、及例外資料

提高稽核效率—持續性稽核平台

開發稽核自動化元件　　　經濟部發明專利第I380230號　　　稽核結果E-mail 通知

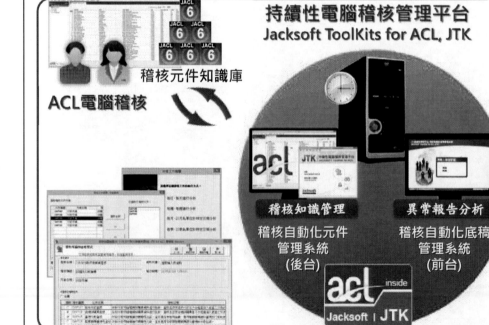

持續性電腦稽核管理平台
Jacksoft ToolKits for ACL, JTK

稽核元件知識庫

ACL電腦稽核

稽核知識管理　　　異常報告分析

稽核自動化元件管理系統（後台）　　　稽核自動化底稿管理系統（前台）

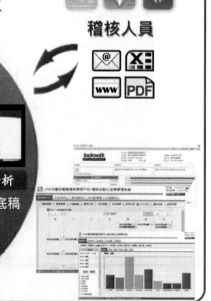

稽核人員

稽核自動化元件管理　　　　　　　稽核自動化底稿管理與分享

■稽核自動化：
電腦稽核主機一天24小時一周七天的為我們工作。

JTK Jacksoft ToolKits for ACL
The continuous auditing platform

建置持續性稽核APP的基本要件

- 將手動操作分析改為自動化稽核
  - 將專案查核過程轉為ACL Script
  - 確認資料下載方式及資料存放路徑
  - ACL Script修改與測試
  - 設定排程時間自動執行

- 使用持續性稽核平台
  - 包裝元件
  - 掛載於平台
  - 設定執行頻率

125

稽核自動化元件效用

1. 標準化的稽核程式格式，容易了解與分享

2. 安裝簡易，可以加速電腦稽核使用效果

3. 有效轉換稽核知識成為公司資產

4. 建立元件方式簡單，可以自己動手進行

126

多維度查詢，找尋稽核報告沒煩惱

多功能底稿資料分析

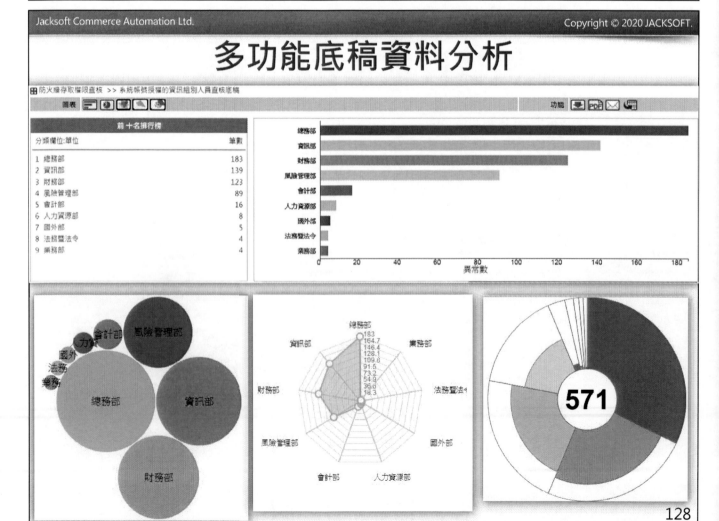

輕鬆掌握各循環作業風險地圖

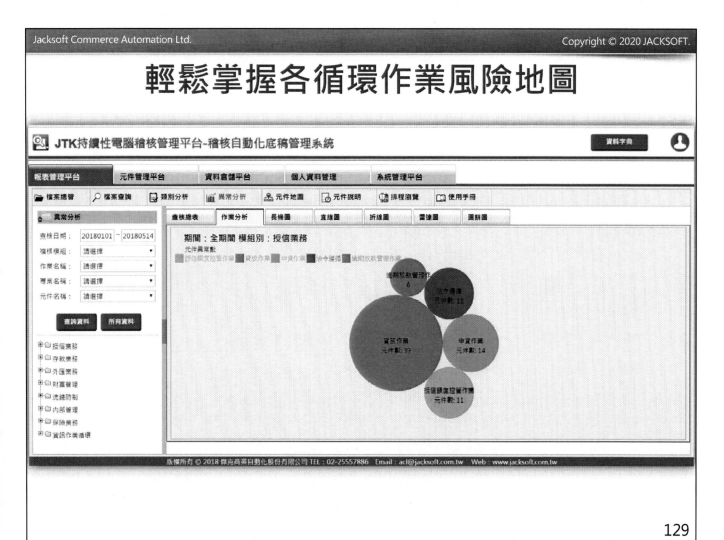

多層級風險矩陣設定

JTK 如何協助持續性稽核

項目	功能比較	JTK (持續性稽核平台)增加功能	ACL 單機版
	單獨使用ACL與導入持續性稽核平台(JTK+ACL)=>功能比較表		
1	系統權限管理	依使用者設定權限並可與AD結合	無
2	查核排程設定	簡易且彈性設定(季/月/周/日)	無
3	稽核資料倉儲	提供獨立管理平台，使用簡單	個別設計技術難度高
4	稽核資料字典	快速掌握各式系統資料來源重點	無
5	資料庫連結	提供安全加密功能	目前為明碼
6	稽核元件封裝	標準化自行封裝，輕鬆分享共用稽核知識	無
7	稽核專案管理	輕鬆批次執行多項查核	個別執行較費時複雜
8	查核結果通知	可同時mail寄送多人	個別設定技術難度高
9	機密資料遮罩	報表可簡易設定多種資料遮罩，個資不外露	無
10	持續性風險地圖	風險矩陣彈性設定，圖形化風險燈號顯示	無
11	底稿多維度查詢	提供多維度查詢稽核底稿功能	無
12	底稿使用軌跡	提供稽核底稿使用軌跡查詢與分析圖表	無

ICAEA國際電腦稽核教育協會簡介

ICAEA(International Computer Auditing Education Association)國際電腦稽核教育協會，總部設於電腦稽核軟體發源地-加拿大溫哥華地區的非營利性的國際組織，全球超過18個國家有分支據點，專業證照會員超過20個國家。

ICAEA國際電腦稽核教育協會是最早以強化財會領域背景人士資訊科技職能的專業發展教育協會，其提供一系列以實務為導向的課程與專業證照, 讓學員可以有效提升其data sharing, data analytics, data mining, data reporting and storage within and across organizations 的能力.

電腦稽核軟體應用學習Road Map

資訊科技實務導向   財會領域實務導向

國際網際網路稽核師   國際資料庫電腦稽核師   國際ERP電腦稽核師   國際鑑識會計稽核師

國際電腦稽核軟體應用師

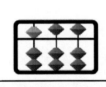   

133

ICAEA 專業證照

■ 有別於一般協會強調理論性的考試，所有的ICAEA證照均須通過電腦上機實作專案的測試。

■ ICAEA以產業實務應用為導向，提供完整的電腦稽核軟體應用認證教材、實務課程、教學方法、專業證照與倫理規範。

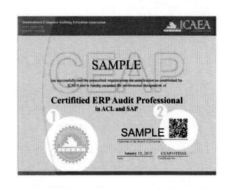

證書具備鋼印與QR code雙重防偽

Focus on the Competency for Using CAATs

134

 國際ERP電腦
稽核師養成班

 國際鑑識會計
稽核師養成班

高階實務 **應用課程** **2天**	SAP ERP 採購 資料分析查核	SAP ERP 總帳 資料分析查核	黑名單與反資 恐交易查核	運用Benford Law 進行地雷股偵測
	SAP ERP 銷售 資料分析查核	SAP ERP 資安 權限查核系列	反貪腐防制 遵循查核	拆單及規避大額 通貨申報洗錢查核

高階程式
開發課程
3天

SAP ERP 基本知識	審計AI人工智慧 程式開發	鑑識會計 基本知識

進階實務
應用課程
1天

考勤管理與加班費 詐領查核實例演練	拆單採購查 核實例演練	銷售資料分析複 核查核實例演練	重複付款查 核實例演練

基礎上機課程
3天

電腦稽核與 CAATs基礎概念	資料擷取與 資料驗證技術	資料分析與 稽核指令	內稽內控 實務案例演練

135

國際ERP電腦稽核師 (專家級)
Certified ERP Audit Professional

- 持有證照者可在未來升學與國外留學上加分。
- 持有證照者在就業市場有較高的競爭力與專業的能力。
- 成為公、民營企業優先升遷、獎勵的對象。

職能	說明
目的	國際ERP電腦稽核師 (專家級)證明 具備使用CAATs工具查核相關ERP 系統的專業能力。
學科	COSO、SOX、ERP
術科	CAATS + ERP

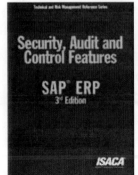 

136

國際鑑識會計稽核師(專家級)
Certified e-Forensic Accounting Professional

職能	說明
目的	國際鑑識會計稽核師 (專家級)證明具備使用CAATs工具協助遵循相關反貪腐/反賄賂法規與財務犯罪防治要求的專業能力。
學科	反貪腐法規(如FCPA、BS 10500等)、舞弊行為、數位分析法則。
術科	CAATS + Fraud Detection

137

歡迎加入 ICAEA Line 群組
~免費取得更多電腦稽核
應用學習資訊~

「法遵科技」與「電腦稽核」專家

傑克商業自動化股份有限公司　台北市大同區長安西路180號3F之2(基泰商業大樓) 知識網:www.acl.com.tw
TEL:(02)2555-7886　FAX:(02)2555-5426　E-mail:acl@jacksoft.com.tw

JACKSOFT為台灣唯一通過經濟部能量登錄與ACL原廠雙重技術認證「電腦稽核」專業輔導機構，技術服務品質有保障

138

參考文獻

1. 黃士銘，2015，ACL 資料分析與電腦稽核教戰手冊(第四版)，全華圖書股份有限公司出版，ISBN 9789572196809.

2. 黃士銘、嚴紀中、阮金聲等著(2013)，電腦稽核－理論與實務應用(第二版)，全華科技圖書股份有限公司出版。

3. 黃士銘、黃秀鳳、周玲儀，2013，海量資料時代，稽核資料倉儲建立與應用新挑戰，會計研究月刊，第 337 期，124-129 頁。

4. 黃士銘、周玲儀、黃秀鳳，2013，"稽核自動化的發展趨勢"，會計研究月刊，第 326 期。

5. 黃秀鳳，2011，JOIN 資料比對分析-查核未授權之假交易分析活動報導，稽核自動化第 013 期，ISSN:2075-0315。

6. 中時電子報，2011，"運彩內控失靈 難擋隻手遮天"，
http://money.chinatimes.com/100rp/2011top10/1-8-5.htm

7. TVBS 新聞，2009，"ｏｏ員工挪公款 5 年間侵占 7 千萬"，
http://news.tvbs.com.tw/entry/123280

8. 黃士銘、黃秀鳳、吳東憲，2010，利用電腦稽核技術建立企業 E 化系統的第一道防火牆，會計研究月刊，第 300 期，126-131 頁。

9. Galvanize，2019， "ACL and Rsam are now Galvanize"
https://www.wegalvanize.com/rebrand/

10. 三立新聞網，2019 年， "狂！美女會計就是要愛馬仕 盜 2.3 億元掃 800 名牌包"
https://www.setn.com/News.aspx?NewsID=487416

11. 三立新聞網，2019 年， "電影公司女會計 4 年盜公款 1.1 億"
https://www.msn.com/zh-tw/news/national/%E9%9B%BB%E5%BD%B1%E5%85%AC%E5%8F%B8%E5%A5%B3%E6%9C%83%E8%A8%884%E5%B9%B4%E7%9B%9C%E5%85%AC%E6%AC%BE11%E5%84%84/ar-BBY5pxy

12. 自由時報，2020 年， "財務主管詐領 3000 萬「抖內」女直播主 判刑 6 年多"
https://news.ltn.com.tw/news/society/breakingnews/3101653

作者簡介

黃秀鳳 Sherry

現　　任

傑克商業自動化股份有限公司 總經理

國際電腦稽核教育協會(ICAEA)大中華分會 會長

專業認證

ACL Certified Trainer

ACL 稽核分析師(ACDA)

國際 ERP 電腦稽核師(CEAP)

國際鑑識會計稽核師(CFAP)

中華民國內部稽核師

內部稽核師（CIA）全國第三名

國際內控自評師(CCSA)

ISO27001 資訊安全主導稽核員

ICEAE 國際電腦稽核教育協會認證講師

學　　歷

大同大學事業經營研究所碩士

主要經歷

超過 500 家企業電腦稽核或資訊專案導入經驗

傑克公司副總經理

耐斯集團子公司會計處長

光寶集團子公司稽核副理

安侯建業會計師事務所高等審計員

國家圖書館出版品預行編目(CIP)資料

資通安全作業查核 ： SAP ERP 權限管理查核實例演
練 / 黃秀鳳作. -- 2 版. -- 臺北市 ： 傑克商業
自動化, 2020.03
面 ； 公分
ISBN 978-986-98959-0-3(平裝附光碟片)

1.資訊安全 2.資訊管理

312.76   109004425

資通安全查核-SAP ERP 權限管理查核實例演練

作者 / 黃秀鳳

發行人 / 黃秀鳳

出版機關 / 傑克商業自動化股份有限公司

地址 / 台北市大同區長安西路 180 號 3 樓之 2

電話 / (02)2555-7886

網址 / www.jacksoft.com.tw

出版年月 / 2020 年 03 月

版次 / 2 版

ISBN / 978-986-98959-0-3